코로나19 바이러스
"친환경 99.9% 항균잉크 인쇄"
전격 도입

언제 끝날지 모를 코로나19 바이러스
99.9% 항균잉크(V-CLEAN99)를 도입하여 「안심도서」로
독자분들의 건강과 안전을 위해 노력하겠습니다.

본 도서는 항균잉크로 인쇄하였습니다.

항균 ✚ 99.9%
안심도서

항균잉크(V-CLEAN99)의 특징

- 바이러스, 박테리아, 곰팡이 등에 항균효과가 있는 산화아연을 적용

- 산화아연은 한국의 식약처와 미국의 FDA에서 식품첨가물로 인증받아 **강력한 항균력**을 구현하는 소재

- 황색포도상구균과 대장균에 대한 테스트를 완료하여 **99.9%의 강력한 항균효과** 확인

- 잉크 내 중금속, 잔류성 오염물질 등 **유해 물질 저감**

TEST REPORT

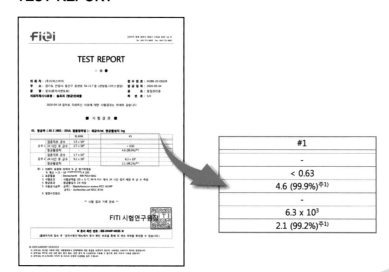

#1
-
< 0.63
4.6 (99.9%)[주1]
-
6.3 x 10³
2.1 (99.2%)[주1]

Clean Zone

SD에듀
(주)시대고시기획

소방설비
기사 필기

소방전기시설의 구조 및 원리

SD에듀
(주)시대고시기획

Always with you

사람이 길에서 우연하게 만나거나 함께 살아가는 것만이 인연은 아니라고 생각합니다.
책을 펴내는 출판사와 그 책을 읽는 독자의 만남도 소중한 인연입니다.
(주)시대고시기획은 항상 독자의 마음을 헤아리기 위해 노력하고 있습니다.
늘 독자와 함께하겠습니다.

머리글

본 교재는 소방설비기사 자격증 취득을 위한 1차 필기시험 대비 수험서로서 기본이론과 중요이론 그리고 5년 동안에 출제된 기사 과년도 문제를 쉽고 빠르게 자격증 취득을 돕기 위해 모두 장별로 분류하고 수록하였으며 이에 해설과 풀이를 통해 본 교재를 가지고 공부하시는 분들이 다른 유형의 문제도 풀 수 있도록 하였습니다.

현재 기출문제는 예전과 달리 동일한 문제가 반복적으로 출제되는 게 아니라 조금씩 변화를 주며 출제되고 있는 상황이라 이에 맞게 내용에 충실하게 교재를 준비하였습니다.

본 교재는 중요부분의 이론은 내용설명을 충실히 하였고, 가끔 출제는 되나 그 내용이 중요하지 않은 부분은 간단하게 암기할 수 있도록 만들었습니다.

끝으로 본 교재로 필기시험을 준비하시는 수험생 여러분들에게 깊은 감사를 드리며 전원 합격하시기를 기원하겠습니다.

오·탈자 및 오답이 발견될 경우 연락을 주시면 수정하여 보다 나은 수험서가 되도록 노력하겠습니다.

편저자 씀

소방설비기사

개 요

건물이 점차 대형화, 고층화, 밀집화 되어감에 따라 화재 발생 시 진화보다는 화재의 예방과 초기진압에 중점을 둠으로써 국민의 생명, 신체 및 재산을 보호하는 방법이 더 효과적인 방법이다. 이에 따라 소방설비에 대한 전문인력을 양성하기 위하여 자격제도를 제정하게 되었다.

진로 및 전망

산업구조의 대형화 및 다양화로 소방대상물(건축물·시설물)이 고층·심층화되고, 고압가스나 위험물을 이용한 에너지 소비량의 증가 등으로 재해 발생 위험요소가 많아지면서 소방과 관련한 인력수요가 늘고 있다. 소방설비 관련 주요 업무 중 하나인 화재관련 건수와 그로 인한 재산피해액도 당연히 증가할 수밖에 없어 소방관련 인력에 대한 수요는 증가할 것으로 전망된다. 소방공사, 대한주택공사, 전기공사 등 정부투자기관, 각종 건설회사, 소방전문업체 및 학계, 연구소 등으로 진출할 수 있다.

시험일정

구 분	필기원서접수 (인터넷)	필기시험	필기합격 (예정자)발표	실기원서접수	실기시험	최종 합격자 발표
제1회	1.24~1.27	3.5	3.23	4.4~4.7	5.7~5.20	6.17
제2회	3.28~3.31	4.24	5.18	6.20~6.23	7.24~8.5	9.2
제4회	8.16~8.19	9.14~10.3	10.13	10.25~10.28	11.19~12.2	12.30

※ 상기 시험일정은 시행처의 사정에 따라 변경될 수 있으니, www.q-net.or.kr에서 확인하시기 바랍니다.

시험요강

① 시행처 : 한국산업인력공단(www.q-net.or.kr)
② 관련 학과 : 대학 및 전문대학의 소방학, 건축설비공학, 기계설비학, 가스냉동학, 공조냉동학 관련 학과
③ 시험과목
　㉠ 필기 : 소방원론, 소방전기일반, 소방관계법규, 소방전기시설의 구조 및 원리
　㉡ 실기 : 소방전기시설 설계 및 시공실무
④ 검정방법
　㉠ 필기 : 객관식 4지 택일형 과목당 20문항(과목당 30분)
　㉡ 실기 : 필답형(3시간)
⑤ 합격기준
　㉠ 필기 : 100점을 만점으로 하여 과목당 40점 이상, 전과목 평균 60점 이상
　㉡ 실기 : 100점을 만점으로 하여 60점 이상

출제기준

필기과목명	주요항목	세부항목	세세항목
소방전기시설의 구조 및 원리	소방전기시설 및 화재안전기준	비상경보설비 및 단독경보형감지기	• 설치대상과 기준, 종류, 특징, 동작원리, 배선 • 화재안전기준 등 기타 관련 사항
		비상방송설비	• 설치대상과 기준, 구성, 기능, 동작원리, 배선 • 화재안전기준 등 기타 관련 사항
		자동화재탐지설비 및 시각경보장치	• 설치대상, 경계구역, 비화재보 원인과 대책, 화재안전기준 • 각 구성기기의 종류 및 특징, 화재안전기준 등 기타 관련 사항
		자동화재속보설비	• 설치대상과 기준, 구성과 종류 • 화재안전기준 등 기타 관련 사항
		누전경보기	• 설치대상과 기준, 종류, 구성, 특징, 동작원리, 변류기 설치와 결성 • 화재안전기준 등 기타 관련 사항
		유도등 및 유도표지	• 설치대상과 기준, 구성, 기능, 동작원리, 전원, 배선, 시험 • 화재안전기준 등 기타 관련 사항
		비상조명등	• 설치대상과 기준, 구성, 전원, 배선, 시험 • 화재안전기준 등 기타 관련 사항
		비상콘센트	• 설치대상과 기준, 구조, 기능, 비상콘센트설비의 전원 및 보호함, 배선 • 화재안전기준 등 기타 관련 사항
		무선통신보조설비	• 설치대상과 기준, 구조, 기능, 사용방법, 누설동축케이블 • 화재안전기준 등 기타 관련 사항
		기타 소방전기시설	• 상용전원, 비상전원 등 기타 관련 사항

이 책의 구성과 특징

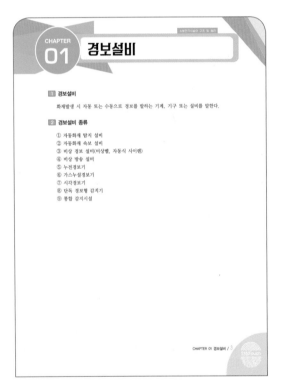

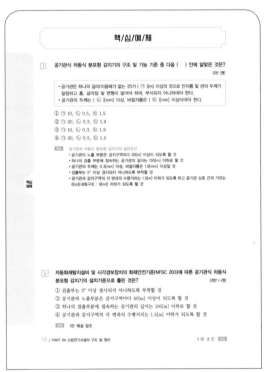

핵심이론

필수적으로 학습해야 하는 중요한 이론들을 각 과목별로 분류하여 수록하였습니다. 두꺼운 기본서의 복잡한 이론은 이제 그만! 시험에 꼭 나오는 이론을 중심으로 효과적으로 공부하십시오.

핵심예제

기출문제들의 키워드를 철저하게 분석하여 한눈에 출제이론을 파악할 수 있도록 하였고 자주 출제되는 문제를 추려낸 뒤 핵심예제로 수록하여 반복학습을 유도하였습니다.

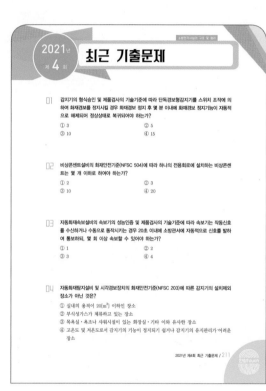

최근 기출문제

최근에 출제된 기출문제를 수록하여 가장 최신의 출제경향을 파악하고 새롭게 출제된 문제의 유형을 파악하여 합격에 한 걸음 더 가까이 다가갈 수 있도록 구성하였습니다.

정답 및 해설

가장 최근에 시행된 기출문제의 명쾌하고 상세한 해설을 수록하여 놓친 부분을 다시 한 번 확인할 수 있도록 하였습니다.

목 차

Engineer Fire Protection System

소방설비기사(필기) 기본서 시리즈

(전기분야)

소방전기시설의 구조 및 원리

Engineer Fire Protection System

소방설비기사(필기) 기본서 시리즈

(전기분야)

소방전기시설의 구조 및 원리

합격의 공식
온라인 강의

잠깐!

혼자 공부하기 힘드시다면 방법이 있습니다.
시대에듀의 동영상강의를 이용하시면 됩니다.

www.sdedu.co.kr → 회원가입(로그인) → 강의 살펴보기

CHAPTER 01 경보설비

1 경보설비

화재발생 시 자동 또는 수동으로 경보를 발하는 기계, 기구 또는 설비를 말한다.

2 경보설비 종류

① 자동화재탐지설비
② 자동화재속보설비
③ 비상경보설비(비상벨, 자동식 사이렌)
④ 비상방송설비
⑤ 누전경보기
⑥ 가스누설경보기
⑦ 시각경보기
⑧ 단독 경보형 감지기
⑨ 통합 감지시설

제1절 자동화재탐지설비

1 자동화재탐지설비

화재발생 건축물 내의 초기단계에서 발생하는 열, 연기를 자동으로 발견하여 건축물 내의 관계자에게 음향장치(벨, 사이렌)로 화재발생을 알리는 설비 일체를 말한다.

2 구성(배의 수중감전에 대해 음향 발표)

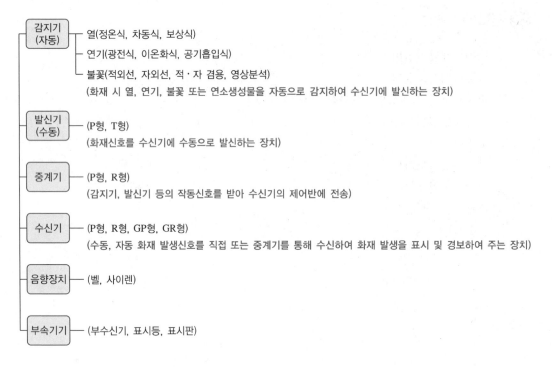

감지기 (자동)
- 열(정온식, 차동식, 보상식)
- 연기(광전식, 이온화식, 공기흡입식)
- 불꽃(적외선, 자외선, 적·자 겸용, 영상분석)
(화재 시 열, 연기, 불꽃 또는 연소생성물을 자동으로 감지하여 수신기에 발신하는 장치)

발신기 (수동)
- (P형, T형)
(화재신호를 수신기에 수동으로 발신하는 장치)

중계기
- (P형, R형)
(감지기, 발신기 등의 작동신호를 받아 수신기의 제어반에 전송)

수신기
- (P형, R형, GP형, GR형)
(수동, 자동 화재 발생신호를 직접 또는 중계기를 통해 수신하여 화재 발생을 표시 및 경보하여 주는 장치)

음향장치
- (벨, 사이렌)

부속기기
- (부수신기, 표시등, 표시판)

3 자동화재탐지설비 설치대상

[자동화재탐지설비를 설치해야 하는 특정소방대상물]

설치 대상	설치 조건
노유자시설	연면적 400[m^2] 이상
위락시설, 근린생활시설, 숙박시설, 복합건축물, 의료시설, 장례시설	연면적 600[m^2] 이상
목욕장, 문화 및 집회시설, 운동시설, 종교시설, 업무시설, 판매시설, 방송통신시설, 관광휴게시설, 항공기 및 자동차 관련시설, 공장, 창고시설, 지하가, 공동주택, 운수시설, 발전시설, 위험물 저장 및 처리시설, 국방·군사시설	연면적 1,000[m^2] 이상

설치 대상	설치 조건
동물 및 식물관련시설, 교육연구시설, 분뇨 및 쓰레기 처리시설, 교정 및 군사시설(국방·군사시설 제외), 수련시설(숙박시설 있는 곳 제외), 묘지관련시설	연면적 2,000[m²] 이상
지하가 중 터널	길이 1,000[m] 이상
지하구, 노유자 생활시설, 판매시설 중 전통시장	전부 설치
특수가연물 저장·취급시설	지정수량 500배 이상
노유자시설 및 수련시설(숙박시설이 있는 곳)	수용인원 100명 이상
• 요양병원(정신병원과 의료재활시설은 제외) • 정신의료기관 또는 의료재활시설 : 바닥면적의 합계가 300[m²] 이상 • 정신의료기관 또는 의료재활시설 : 바닥면적의 합계가 300[m²] 미만이고, 창살이 설치된 시설	의료시설 중 정신의료기관 또는 요양병원

4 감지기

(1) 열감지기(차동식, 정온식, 보상식)

① 차동식(차동식 스포트형, 차동식 분포형)

㉠ 차동식 스포트형 : 주위온도가 일정 상승률 이상 시 일국소에서의 열효과에 의하여 동작

ⓐ 공기의 팽창 이용

• 구성 : 감열부(실), 다이어프램, 리크구멍, 접점, 작동 표시장치

• 동작원리 : 화재발생 시 온도가 상승하면 감열부 내의 공기가 팽창하여 다이어프램을 밀어 올려 접점에 닿게 하여 수신기에 화재신호를 보낸다.

• 리크구멍 기능 : 감지기 오동작(비화보재) 방지

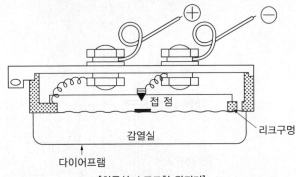

[차동식 스포트형 감지기]

ⓑ 열기전력 이용
- 구성 : 반도체열전대, 고감도릴레이, 감열실
- 동작원리 : 화재발생 시 온도상승에 의해 반도체 열전대가 기전력을 발생하여 일정치에 도달하면 고감도의 접점을 붙여 화재발생을 수신기에 보낸다.

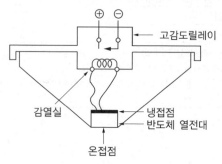

[열기전력을 이용한 감지기 구조]

- 고감도릴레이 : 미소전압으로 동작하는 계전기

ⓒ 차동식 분포형 : 주위 온도가 일정 상승률 이상 시 넓은 범위 내에서의 열효과 누적에 의하여 작동
ⓐ 공기관식 감지기

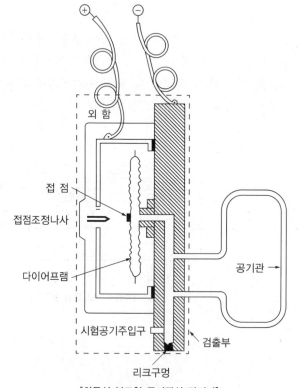

[차동식 분포형 공기관식 감지기]

- 구 성
  - 공기관(두께 0.3[mm] 이상, 바깥지름 1.9[mm] 이상)
  - 다이어프램
  - 리크구멍 = 리크홀 = 리크공 = 리크밸브
  - 시험장치
  - 접 점
- 원리 : 전 구역 열효과 누적에 의한 동관 내 공기팽창으로 다이어프램을 밀어 접점을 접촉시켜 동작
- 설치조건
  - 공기관의 노출 부분은 감지구역마다 20[m] 이상이 되도록 할 것
  - 하나의 검출 부분에 접속하는 공기관의 길이는 100[m] 이하로 할 것
  - 공기관의 두께는 0.3[mm] 이상, 바깥지름은 1.9[mm] 이상일 것
  - 검출부는 5° 이상 경사되지 아니하도록 부착할 것
  - 공기관과 감지구역의 각 변과의 수평거리는 1.5[m] 이하가 되도록 하고 공기관 상호 간의 거리는 6[m](내화구조 : 9[m]) 이하가 되도록 할 것
  - 검출부는 바닥으로부터 0.8[m] 이상 1.5[m] 이하의 위치에 설치할 것
  - 공기관은 도중에서 분기하지 아니하도록 할 것
- 공기관의 공기누설 측정기구 : 마노미터
- 공기관 상호 간의 접속 : 슬리브에 삽입한 후 납땜한다.
- 검출부와 공기관의 접속 : 공기관 접속단자에 삽입한 후 납땜한다.
- 고정방법
  - 직선부분 : 35[cm] 이내
  - 굴곡부분 : 5[cm] 이내
  - 접속부분 : 5[cm] 이내
  - 굴곡반경 : 5[mm] 이상
-

작동개시시간이 범위보다 늦는 경우	작동개시시간이 범위보다 빠른 경우
감지기 리크저항이 기준치 이하인 경우	감지기 리크저항이 기준치 이상인 경우
검출부 내의 다이어프램이 부식되어 표면에 구멍이 생긴 경우	검출부 내의 리크구멍이 이물질 등에 의해 막힌 경우

ⓑ 열전대식 감지기

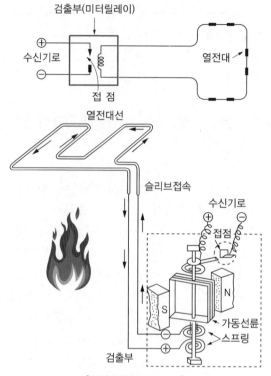

[열전대식 감지기 구조]

• 구성 : 열전대, 미터릴레이(가동선륜, 스프링, 접점), 접속전선

  ※ 미터릴레이 : 전압계가 부착되어 있는 릴레이

• 동작원리 : 제베크효과에 의한 열기전력 이용

  화재발생 시 열전대부가 가열하여 다른 종류의 금속판의 상호 간에 열기전력이
  발생하여 미터릴레이에 전류가 흘러 접점을 닿게 하여 화재발생을 알린다.

• 설치기준

  – 하나의 검출부에 접속하는 열전대부는 최소 4개 이상으로 할 것

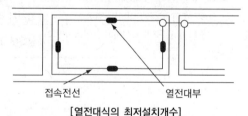

[열전대식의 최저설치개수]

  – 하나의 검출부에 접속하는 열전대부는 최대 20개 이하로 할 것

– 열전대식 감지기의 면적기준

[열전대식 감지기의 면적 설치기준]

특정소방대상물	1개의 감지면적
내화구조	22[m²]
기타구조	18[m²]

단, 바닥면적이 72[m²](주요구조부가 내화구조일 때에는 88[m²]) 이하인 특정소방대상물에 있어서는 4개 이상으로 할 것

• 열전대부의 접속 : 슬리브에 삽입한 후 압착한다.
• 고정방법 : 메신저와이어(Messenger Wire) 사용 시 30[cm] 이내
  ※ 메신저와이어 : 열전대가 늘어지지 않도록 고정시키기 위한 철선

ⓒ 열반도체 감지기

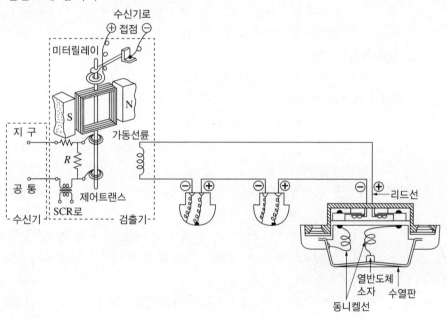

[열반도체 감지기 구조]

• 구성 : 열반도체 소자, 수열판, 미터릴레이
• 동작원리
  화재 시 수열판의 온도가 상승하여 열반도체 소자에 제베크효과(Seebeck Effect)에 따라 열기전력이 발생하여 감열부의 출력전압이 기준치를 넘으면 미터릴레이를 작동시켜 화재발생을 알리는 원리로서 열전대식 감지기의 원리와 동일하다.

[특정소방대상물에 따른 감지기의 종류]

(단위 : [m²])

부착높이 및 특정소방대상물의 구분		감지기의 종류	
		1종	2종
8[m] 미만	내화구조	65	36
	기타 구조	40	23
8[m] 이상 15[m] 미만	내화구조	50	36
	기타 구조	30	23

※ 하나의 검출기에 접속하는 감지부는 2~15개 이하가 되도록 할 것

- 용 어
  - 수열판 : 열을 유효하게 받는 부분
  - 열반도체소자 : 열기전력을 발생하는 부분
  - 동니켈선 : 열반도체소자와 역방향의 열기전력을 발생하는 부분으로 차동식 스포트형 감지기의 리크공과 같은 역할을 한다.

② 정온식(스포트형, 감지선형)
  ㉠ 정온식 스포트형 감지기(특종, 1종, 2종)
    ⓐ 종 류
      - 금속팽창계수차(바이메탈)를 이용 ┌ 활 곡
      　　　　　　　　　　　　　　　　└ 반 전
      - 액체팽창을 이용
      - 가용 절연물 이용
      - 감열 반도체 소자를 이용
    ⓑ 적응 장소 : 주방, 보일러실, 건조실, 살균실, 조리실, 용접작업장, 주조실, 영사실, 스튜디오 등 고온이 되는 장소에 설치
    ⓒ 설치기준
      최고 주위온도보다 공칭작동온도(제조자에 의해 설정된 온도)가 20[℃] 이상 높은 것으로 할 것
      ※ 공칭작동온도 : 60~150[℃]
  ㉡ 정온식 감지선형 감지기
    ⓐ 정온식 감지선형 감지기는 일국소의 주위 온도가 일정한 온도 이상이 되었을 경우 가용절연물이 녹아 2가닥의 전선이 서로 접촉하면 작동하여 화재신호를 수신기에 발신하는 것으로 감지기의 외관이 전선과 같이 생긴 것을 말한다(비재용형).

ⓑ 구 조

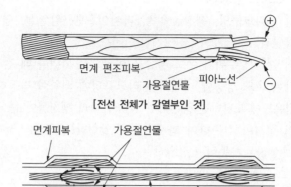

[전선 전체가 감열부인 것]

[감열부가 부분적으로 있는 것]

ⓒ 설치기준
- 보조선이나 고정금구를 사용하여 감지선이 늘어지지 않도록 설치할 것
- 단자부와 마감 고정금구와의 설치간격은 10[cm] 이내로 설치할 것
- 감지선형 감지기의 굴곡반경은 5[cm] 이상으로 할 것
- 직선부분 50[cm] 이내 고정
- 굴곡부분 10[cm] 이내 고정
- 감지기와 감지구역의 각 부분과의 수평거리

종 별 설치거리	1종		2종	
	내화구조	일반구조 (비내화구조)	내화구조	일반구조 (비내화구조)
감지기와 감지구역의 각 부분과의 수평거리	4.5[m] 이하	3[m] 이하	3[m] 이하	1[m] 이하

- 케이블트레이에 감지기를 설치하는 경우에는 케이블트레이 받침대에 마감금구를 사용하여 설치할 것
- 지하구나 창고의 천장 등에 지지물이 적당하지 않는 장소에서는 보조선을 설치하고 그 보조선에 설치할 것
- 분전반 내부에 설치하는 경우 접착제를 이용하여 돌기를 바닥에 고정시키고 그곳에 감지기를 설치할 것

ⓒ 보상식 스포트형 감지기

　ⓐ 구성 : 리크구멍, 팽창금속관, 다이어프램, 감열실, 접점

　ⓑ 동작원리

　　화재발생 시 주위가 온도 상승률 이상으로 되었을 때 접점을 접촉하여 발신하고
　　완만한 온도 상승에 대해서는 리크구멍에 의하여 작동하지 않는다(차동식). 또
　　일정온도에 도달하면 정온식의 원리에 따라 팽창률이 큰 금속판이 활곡 또는 반전
　　하여 접점이 접촉하여 화재발생을 알린다(정온식).

　　※ 보상식 = 차동식 + 정온식

　ⓒ 구 조

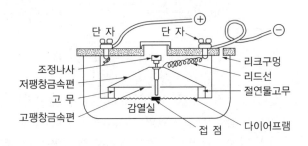

(2) 연기감지기(이온화식, 광전식 스포트형, 광전식 분리형, 공기흡입형)

① 이온화식 감지기

　㉠ 구성 : 이온실, 신호증폭회로, 스위칭회로, 작동표시장치

　㉡ 구 조

　　ⓐ 외부이온실과 내부이온실로 구성되어 있다.

　　ⓑ 외부이온실의 방사선원 : 아메리슘(Am^{241}) 또는 라듐(Ra)

　　ⓒ 이온실 하나로 주기적 검출회로방식

　　ⓓ 양이온실은 직렬로 접속되어 있다.

　　ⓔ 연기에 의한 이온전류 변화

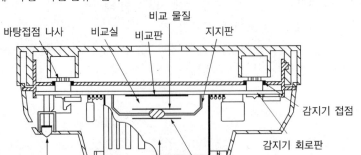

ⓒ 동작원리

연기는 외부이온실에만 유입되어 외부이온실의 α선에 따라 연기가 이온화된 공기에 부착되어 이온전류가 감소하면 외부이온실에 있는 전압은 V_1에서 V_2로 이동하여 ΔV만큼 전압이 변하게 된다. 이것을 검출부, 증폭부의 움직일 수 있는 스위치를 작동시켜 수신기에 발신하는 것이다.

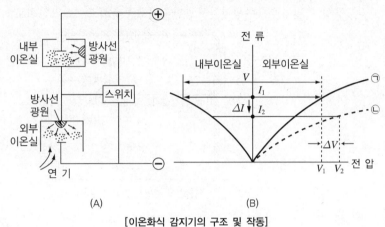

(A)   (B)

[이온화식 감지기의 구조 및 작동]

② 광전식 감지기

ⓐ 광전식 스포트형 감지기

ⓐ 구성 : 발광부, 수광부, 차광판, 신호증폭회로, 스위칭회로, 작동표시장치

ⓑ 구 조

• 발광소자는 광속변화가 적고 장기간 사용에 견딜 수 있을 것
• 수광소자는 감도의 저하 및 피로현상이 적고 장기간 사용에 견딜 수 있을 것
• 정전기 또는 그 밖의 장해로 인하여 잘못 작동하거나 기능에 이상이 없을 것

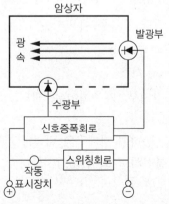

[광전식 스포트형 감지기 연기 유입 전]

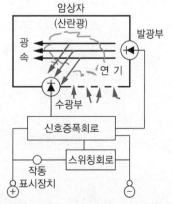

[광전식 스포트형 감지기 연기 유입 후]

ⓒ 동작원리

　암실에 화재에 의하여 발생한 연기가 유입하면 연기에 의한 광속의 광반사가 일어나 광전소자로의 입사 광량이 증대하여 광전소자의 저항이 변화하여 수신기에 화재신호를 알린다.

ⓛ 광전식 분리형 감지기

　ⓐ 구성 : 발광부, 수광부, 차광판, 신호증폭회로, 스위칭회로, 작동표시장치

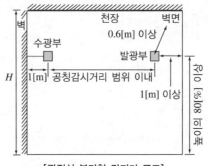

[광전식 분리형 감지기 구조]

　ⓑ 원 리

　광전식 분리형 감지기는 광전식 스포트형 감지기의 발광부와 수광부를 분리한 것과 같은 것으로 광범위한 연기의 누적에 의한 광전소자의 수광량 변화에 의해 작동된다.

　ⓒ 광전식 분리형 감지기의 설치기준

　　• 감지기의 수광면은 햇빛을 직접 받지 않도록 설치할 것

　　• 광축의 높이는 천장 등 높이의 80[%] 이상일 것

　　• 광축(송광면과 수광면의 중심을 연결한 선)은 나란한 벽으로부터 0.6[m] 이상 이격하여 설치할 것

　　• 감지기의 송광부와 수광부는 설치된 뒷벽으로부터 1[m] 이내 위치에 설치할 것

　　• 감지기의 광축의 길이는 공칭감시거리 범위 이내일 것

　ⓓ ┌광전식 스포트형(일체형) : 광량 증가를 이용
　　　└광전식 중 분리형 : 광량 감소를 이용

③ 공기흡입형 감지기

　㉠ 구성 : 흡입배관, 공기흡입펌프, 감지부, 계측제어부, 필터

　㉡ 원 리

　흡입용 팬 또는 펌프가 흡입배관을 통하여 경계구역 내의 공기를 흡입하고 흡입한 공기 중에 함유된 연소생성물을 분석하여 화재를 감지한다.

(3) 연기감지기 설치 장소 및 설치기준

① 연기감지기 설치 장소

　㉠ 계단·경사로 및 에스컬레이터 경사로

　㉡ 복도(30[m] 미만은 제외)

　㉢ 엘리베이터 승강로(권상기실), 린넨슈트, 파이프피트 및 파이프덕트 기타 이와 유사한 장소

　㉣ 천장 또는 반자의 높이가 15[m] 이상 20[m] 미만의 장소

　㉤ 다음 특정소방대상물의 취침·숙박·입원 등 이와 유사한 용도로 사용되는 거실

　　ⓐ 공동주택·오피스텔·숙박시설·노유자시설·수련시설

　　ⓑ 교육연구시설 중 합숙소

　　ⓒ 의료시설, 근린생활시설 중 입원실이 있는 의원·조산원

　　ⓓ 교정 및 군사시설

　　ⓔ 근린생활시설 중 고시원

② 연기감지기의 설치 기준

　㉠ 감지기의 부착높이에 따라 다음 표에 의한 바닥면적마다 1개 이상으로 할 것

[연기감지기의 부착높이에 따른 감지기의 바닥면적]

(단위 : [m²])

부착높이	감지기의 종류	
	1종 및 2종	3종
4[m] 미만	150	50
4[m] 이상 20[m] 미만	75	설치 불가

　㉡ 연기감지기의 부착개수(아래 기준에 1개 이상 설치)

[연기감지기 장소에 따른 설치기준]

설치장소	복도 및 통로		계단 및 경사로	
	1종, 2종	3종	1종, 2종	3종
설치거리	보행거리 30[m]	보행거리 20[m]	수직거리 15[m]	수직거리 10[m]

　㉢ 천장 또는 반자가 낮은 실내, 좁은 실내에 있어서는 출입구의 가까운 부분에 설치할 것

　㉣ 천장 또는 반자 부근에 배기구가 있는 경우에는 그 부근에 설치할 것

　㉤ 감지기는 벽 또는 보로부터 0.6[m] 이상 떨어진 곳에 설치할 것

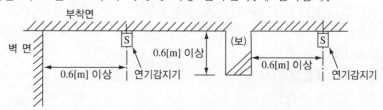

　㉥ 연기를 감지하는 감지기는 감시체임버로 (1.3±0.05)[mm] 크기의 물체가 침입할 수 없는 구조이어야 한다.

(4) 불꽃감지기

① 자외선식 감지기(UV)

자외선 영역(0.01~0.34[μm]) 중 화재 시(0.18~0.26[μm])의 파장에서 강한 에너지 레벨이 형성되어 이를 검출하여 화재신호로 발한다.

② 적외선식 감지기(IR)

적외선 영역 중에서 화재 시 4.35[μm]의 파장에서 강한 에너지 레벨이 형성되어 이를 검출하여 화재신호로 발한다.

③ 설치기준

㉠ 공칭감시거리 · 공칭시야각

조 건	공칭감시거리	공칭시야각	도로형 최대 시야각
20[m] 미만의 장소에 적합한 것	1[m] 간격	5° 간격	180° 이상
20[m] 이상의 장소에 적합한 것	5[m] 간격		

㉡ 감지기는 공칭감시거리와 공칭시야각을 기준으로 감시구역이 모두 포용될 수 있도록 설치할 것

㉢ 감지기는 화재감시를 유효하게 감지할 수 있는 모서리 또는 벽 등에 설치할 것

㉣ 감지기를 천장에 설치하는 경우에는 감지기는 바닥을 향하여 설치할 것

㉤ 수분이 많이 발생할 우려가 있는 장소에는 방수형으로 설치할 것

(5) 복합형 감지기 종류 : 열복합형, 연기복합형, 불꽃복합형, 열·연기복합형, 연기·불꽃복합형, 열·불꽃복합형, 열·연기·불꽃복합형

① 열복합형 감지기

차동식 스포트형 및 정온식 스포트형의 두 가지 성능의 감지기능이 함께 작동될 때 화재신호를 발신하거나 또는 두 개의 화재신호를 각각 발신

② 연기복합형 감지기

이온화식 스포트형 및 광전식 스포트형의 두 가지 성능의 감지기능이 함께 작동 시 화재신호를 발신하거나 또는 두 개의 화재신호를 각각 발신

③ 불꽃복합형 감지기

불꽃 자외선식, 불꽃 적외선식 및 불꽃 영상분석식의 성능 중 두 가지 이상 성능을 가진 것으로서 두 가지 이상의 감지기능이 함께 작동 시 화재신호를 발신하거나 또는 두 개의 화재신호를 각각 발신

④ 열·연기 복합형 감지기

열감지기 및 연기감지기의 성능이 있는 것으로 두 가지 성능의 감지기능이 함께 작동 시 화재신호를 발신하거나 또는 두 개의 화재신호를 각각 발신 시

⑤ 연기·불꽃 복합형 감지기

연기감지기 및 불꽃감지기의 두 가지 성능의 감지기능이 함께 작동 시 화재신호를 발신하거나 또는 두 개의 화재신호를 각각 발신

⑥ 열·불꽃 복합형 감지기

열감지기 및 불꽃감지기의 두 가지 성능의 감지기능이 함께 작동 시 화재신호를 발신하거나 또는 두 개의 화재신호를 각각 발신

⑦ 열·연기·불꽃 복합형 감지기

열감지기, 연기감지기 및 불꽃감지기의 세 가지 성능의 감지기능이 함께 작동될 때 화재신호를 발신하거나 또는 세 개의 화재신호를 각각 발신

01 공기관식 차동식 분포형 감지기의 구조 및 기능 기준 중 다음 (   ) 안에 알맞은 것은?

[17년 2회]

> • 공기관은 하나의 길이(이음매가 없는 것)가 (㉠)[m] 이상의 것으로 안지름 및 관의 두께가 일정하고 흠, 갈라짐 및 변형이 없어야 하며, 부식되지 아니하여야 한다.
> • 공기관의 두께는 (㉡)[mm] 이상, 바깥지름은 (㉢)[mm] 이상이어야 한다.

① ㉠ 10, ㉡ 0.5, ㉢ 1.5
② ㉠ 20, ㉡ 0.3, ㉢ 1.9
③ ㉠ 10, ㉡ 0.3, ㉢ 1.9
④ ㉠ 20, ㉡ 0.5, ㉢ 1.5

해설 공기관식 차동식 분포형 감지기의 설치조건
- 공기관의 노출 부분은 감지구역마다 20[m] 이상이 되도록 할 것
- 하나의 검출 부분에 접속하는 공기관의 길이는 100[m] 이하로 할 것
- 공기관의 두께는 0.3[mm] 이상, 바깥지름은 1.9[mm] 이상일 것
- 검출부는 5° 이상 경사되지 아니하도록 부착할 것
- 공기관과 감지구역의 각 변과의 수평거리는 1.5[m] 이하가 되도록 하고 공기관 상호 간의 거리는 6[m](내화구조 : 9[m]) 이하가 되도록 할 것

02 자동화재탐지설비 및 시각경보장치의 화재안전기준(NFSC 203)에 따른 공기관식 차동식 분포형 감지기의 설치기준으로 틀린 것은?

[20년 1·2회]

① 검출부는 3° 이상 경사되지 아니하도록 부착할 것
② 공기관의 노출부분은 감지구역마다 20[m] 이상이 되도록 할 것
③ 하나의 검출부분에 접속하는 공기관의 길이는 100[m] 이하로 할 것
④ 공기관과 감지구역의 각 변과의 수평거리는 1.5[m] 이하가 되도록 할 것

해설 1번 해설 참조

03 주요구조부가 내화구조인 특정소방대상물에 자동화재탐지설비의 감지기를 열전대식 차동식 분포형으로 설치하려고 한다. 바닥면적이 256[m²]일 경우 열전대부와 검출부는 각각 최소 몇 개 이상으로 설치하여야 하는가? [17년 2회]

① 열전대부 11개, 검출부 1개
② 열전대부 12개, 검출부 1개
③ 열전대부 11개, 검출부 2개
④ 열전대부 12개, 검출부 2개

해설 **열전대식 차동식 분포형 감지기의 설치기준**
• 열전대식 감지기의 면적기준

특정소방대상물	1개의 감지면적
내화구조	22[m²]
기타구조	18[m²]

다만, 바닥면적이 72[m²](주요구조부가 내화구조일 때에는 88[m²]) 이하인 특정소방대상물에 있어서는 4개 이상으로 할 것
• 하나의 검출부에 접속하는 열전대부는 20개 이하로 할 것

$\therefore \dfrac{256}{22} = 11.6$

∴ 12개, 즉 하나의 검출부에 접속하는 열전대부는 20개 이하이므로 열전대부 12개, 검출부 1개이다.

핵심
예제

04 차동식 분포형 감지기의 동작방식이 아닌 것은? [19년 4회]

① 공기관식
② 열전대식
③ 열반도체식
④ 불꽃 자외선식

해설 차동식 분포형 감지기 동작방식 : 공기관식, 열전대식, 열반도체식

안심Touch

05 부착높이 3[m], 바닥면적 50[m²]인 주요구조부를 내화구조로 한 소방대상물에 1종 열반도체식 차동식 분포형 감지기를 설치하고자 할 때 감지부의 최소 설치개수는? [19년 2회]

① 1개 　　　　　　　　　　　　② 2개

③ 3개 　　　　　　　　　　　　④ 4개

해설 열반도체식 차동식 분포형 감지기의 설치기준
- 감지부는 그 부착높이 및 특정소방대상물에 따라 다음 표에 따른 바닥면적마다 1개 이상으로 할 것. 다만, 바닥면적이 다음 표에 따른 면적의 2배 이하인 경우에는 2개 (부착높이가 8[m] 미만이고, 바닥면적이 다음 표에 따른 면적 이하인 경우에는 1개) 이상으로 하여야 한다.

[특정소방대상물에 따른 감지기의 종류]

(단위 : [m²])

부착높이 및 특정소방대상물의 구분		감지기의 종류	
		1종	2종
8[m] 미만	내화구조	65	36
	기타구조	40	23
8[m] 이상 15[m] 미만	내화구조	50	36
	기타구조	30	23

- 하나의 검출기에 접속하는 감지부는 2개 이상 15개 이하가 되도록 할 것

06 일국소의 주위온도가 일정한 온도 이상이 되는 경우에 작동하는 것으로서 외관이 전선으로 되어 있는 감지기는 어떤 것인가? [19년 2회]

① 공기흡입형

② 광전식 분리형

③ 차동식 스포트형

④ 정온식 감지선형

해설 정온식 감지선형 감지기는 일국소의 주위 온도가 일정한 온도 이상이 되었을 경우 가용절연물이 녹아 2가닥의 전선이 서로 접촉하면 작동하여 화재신호를 수신기에 발신하는 것으로 감지기의 외관이 전선과 같이 생긴 것을 말한다(비재용형).

07 정온식 감지선형 감지기에 관한 설명으로 옳은 것은? [19년 1회]

① 일국소의 주위온도 변화에 따라서 차동 및 정온식의 성능을 갖는 것을 말한다.

② 일국소의 주위온도가 일정한 온도 이상이 되었을 때 작동하는 것으로서 외관이 전선으로 되어 있는 것을 말한다.

③ 그 주위온도가 일정한 온도상승률 이상이 되었을 때 작동하는 것으로서 일국소의 열효과에 의해서 동작 하는 것을 말한다.

④ 그 주위온도가 일정한 온도상승률 이상이 되었을 때 작동하는 것으로서 광범위한 열효과의 누적에 의하여 동작하는 것을 말한다.

> **해설** 6번 해설 참조

08 정온식 감지기의 설치 시 공칭작동온도가 최고주위온도보다 최소 몇 [℃] 이상 높은 것으로 설치하여야 하나? [19년 1회]

① 10 　　　　　　　　　② 20

③ 30 　　　　　　　　　④ 40

> **해설** 최고 주위온도보다 공칭작동온도(제조자에 의해 설정된 온도)가 20[℃] 이상 높은 것으로 할 것

09 감지기의 형식승인 및 제품검사의 기술기준에 따른 연기감지기의 종류로 옳은 것은? [20년 4회]

① 연복합형

② 공기흡입형

③ 차동식 스포트형

④ 보상식 스포트형

> **해설** 연기감지기 종류 : 이온화식 스포트형, 광전식 스포트형, 광전식 분리형, 공기흡입형

정답 7 ② 8 ② 9 ②

핵심
예제

10 광전식 분리형 감지기의 설치기준 중 틀린 것은? [18년 1회, 2회]

① 감지기의 수광면은 햇빛을 직접 받지 않도록 설치할 것
② 광축은 나란한 벽으로부터 0.6[m] 이상 이격하여 설치할 것
③ 감지기의 송광부와 수광부는 설치된 뒷벽으로부터 0.5[m] 이내 위치에 설치할 것
④ 광축의 높이는 천장 등 높이의 80[%] 이상일 것

해설 광전식 분리형 감지기의 설치기준
• 감지기의 수광면은 햇빛을 직접 받지 않도록 설치할 것
• 광축의 높이는 천장 등 높이의 80[%] 이상일 것
• 광축(송광면과 수광면의 중심을 연결한 선)은 나란한 벽으로부터 0.6[m] 이상 이격하여 설치할 것
• 감지기의 송광부와 수광부는 설치된 뒷벽으로부터 1[m] 이내 위치에 설치할 것
• 감지기의 광축의 길이는 공칭감시거리 범위 이내일 것

핵심
예제

11 광전식 분리형 감지기의 설치기준 중 광축은 나란한 벽으로부터 몇 [m] 이상 이격하여 설치하여야 하는가? [17년 2회]

① 0.6 ② 0.8
③ 1 ④ 1.5

해설 10번 해설 참조

12 자동화재탐지설비의 감지기 중 연기를 감지하는 감지기는 감시체임버로 몇 [mm] 크기의 물체가 침입할 수 없는 구조이어야 하는가? [18년 2회]

① (1.3±0.05)
② (1.5±0.05)
③ (1.8±0.05)
④ (2.0±0.05)

해설 연기를 감지하는 감지기는 감시체임버로 (1.3±0.05)[mm] 크기의 물체가 침입할 수 없는 구조이어야 한다.

13 **불꽃감지기의 설치기준으로 틀린 것은?** [19년 1회]

① 수분이 많이 발생할 우려가 있는 장소에는 방수형으로 설치할 것

② 감지기를 천장에 설치하는 경우에는 감지기는 천장을 향하여 설치할 것

③ 감지기는 화재감지를 유효하게 감지할 수 있는 모서리 또는 벽 등에 설치할 것

④ 감지기는 공칭감시거리와 공칭시야각을 기준으로 감시구역이 모두 포용될 수 있도록 설치할 것

해설 **설치기준**

• 공칭감시거리 · 공칭시야각

조 건	공칭감시거리	공칭시야각	도로형 최대 시야각
20[m] 미만의 장소에 적합한 것	1[m] 간격	5° 간격	180° 이상
20[m] 이상의 장소에 적합한 것	5[m] 간격		

• 감지기는 공칭감시거리와 공칭시야각을 기준으로 감시구역이 모두 포용될 수 있도록 설치할 것
• 감지기는 화재감시를 유효하게 감지할 수 있는 모서리 또는 벽 등에 설치할 것
• 감지기를 천장에 설치하는 경우에는 감지기는 바닥을 향하여 설치할 것
• 수분이 많이 발생할 우려가 있는 장소에는 방수형으로 설치할 것

핵심
예제

14 **불꽃감지기 중 도로형의 최대시야각 기준으로 옳은 것은?** [18년 2회]

① 30° 이상

② 45° 이상

③ 90° 이상

④ 180° 이상

해설 13번 해설 참조

정답 13 ② 14 ④

안심Touch

5 감지기 설치기준

(1) 부착높이에 따른 감지기의 종류

[부착높이에 따른 감지기 종류]

부착높이	감지기의 종류
4[m] 미만	• 차동식(스포트형, 분포형) • 보상식 스포트형 • 정온식(스포트형, 감지선형) • 열복합형 • 이온화식 또는 광전식(스포트형, 분리형, 공기흡입형) • 연기복합형 • 열연기복합형 • 불꽃감지기
4[m] 이상 8[m] 미만	• 차동식(스포트형, 분포형) • 보상식 스포트형 • 정온식(스포트형, 감지선형) 특종 또는 1종 • 이온화식 1종 또는 2종 • 광전식(스포트형, 분리형, 공기흡입형) 1종 또는 2종 • 열복합형 • 연기복합형 • 열·연기복합형 • 불꽃감지기
8[m] 이상 15[m] 미만	• 차동식 분포형 • 이온화식 1종 또는 2종 • 광전식(스포트형, 분리형, 공기흡입형) 1종 또는 2종 • 연기복합형 • 불꽃감지기
15[m] 이상 20[m] 미만	• 이온화식 1종 • 광전식(스포트형, 분리형, 공기흡입형) 1종 • 연기복합형 • 불꽃감지기
20[m] 이상	• 불꽃감지기 • 광전식(분리형, 공기흡입형) 중 아날로그방식

비고 : 1. 감지기별 부착높이 등에 대하여 별도로 형식승인을 받은 경우에는 그 성능 인정범위 내에서 사용할 수 있다.
　　　2. 부착높이 20[m] 이상에 설치되는 광전식 중 아날로그방식의 감지기는 공청감지농도 하한값이 감광률 5[%/m]
　　　　미만인 것으로 한다.

(2) 감지기 설치기준

① 감지기(차동식 분포형은 제외)는 실내로의 공기유입구로부터 1.5[m] 이상 떨어진 위치에 설치할 것

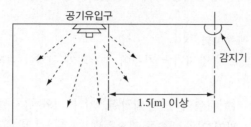

[감지기의 설치위치]

② 감지기는 천장 또는 반자의 옥내의 면하는 부분에 설치할 것
③ 보상식 스포트형 감지기는 정온점이 감지기 주위의 평상시 최고 온도보다 20[℃] 이상 높은 것으로 설치할 것
④ 정온식 감지기는 주방, 보일러실 등 다량의 화기를 취급하는 장소에 설치하되 공칭작동온도가 최고 주위온도보다 20[℃] 이상 높은 것으로 설치할 것
⑤ 스포트형 감지기는 45° 이상 경사되지 아니하도록 부착할 것

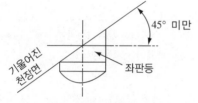

[감지기의 경사위치]

[감지기의 경사제한 각도]

종 류	스포트형 감지기	분포형 감지기
경사제한 각도	45° 이상	5° 이상

⑥ 차동식 스포트형, 보상식 스포트형 및 정온식 스포트형 감지기는 다음 표에 의한 바닥면적마다 1개 이상을 설치할 것

[특정소방대상물에 따른 감지기의 종류]

(단위 : [m²])

부착높이 및 특정소방대상물의 구분		감지기의 종류				
		차동식·보상식 스포트형		정온식 스포트형		
		1종	2종	특 종	1종	2종
4[m] 미만	내화구조	90	70	70	60	20
	기타구조	50	40	40	30	15
4[m] 이상 8[m] 미만	내화구조	45	35	35	30	−
	기타구조	30	25	25	15	−

(3) 감지기의 설치제외 장소(NFSC 203)

① 천장 또는 반자의 높이가 20[m] 이상인 장소
② 헛간 등 외부와 기류가 통하는 장소로서 감지기에 의하여 화재발생을 유효하게 감지할 수 없는 장소
③ 부식성 가스가 체류하는 장소
④ 고온도 및 저온도로서 감지기의 기능이 정지되기 쉽거나 감지기의 유지관리가 어려운 장소
⑤ 목욕실·욕조나 샤워시설이 있는 화장실, 기타 이와 유사한 장소
⑥ 파이프덕트 등 그 밖에 이와 비슷한 것으로서 2개층마다 방화구획된 것이나 수평단 면적이 5[m²] 이하인 것
⑦ 먼지·가루 또는 수증기가 다량으로 체류하는 장소 또는 주방 등 평상시에 연기가 발생하는 장소(단, 연기감지기만 적용)
⑧ 프레스공장·주조공장 등 화재발생의 위험이 적은 장소로서 감지기의 유지관리가 어려운 장소

> 지하구·터널에 설치하는 감지기 : 먼지·습기 등의 영향을 받지 아니하고 발화지점을 확인할 수 있는 감지기

(4) 비화재보 발생가능 장소 및 적응감지기

① 비화재보 발생가능 장소
  ㉠ 지하층·무창층 등으로서 환기가 잘 되지 아니하거나 실내면적이 40[m²] 미만인 장소
  ㉡ 감지기의 부착면과 실내바닥과의 거리가 2.3[m] 이하인 장소로서 일시적으로 발생한 열·연기 또는 먼지 등으로 인하여 감지기가 화재신호를 발신할 우려가 있는 장소
② 비화재보 발생우려 장소에 설치 가능한 감지기 종류
  ㉠ 축적방식의 감지기
  ㉡ 복합형 감지기
  ㉢ 다신호방식의 감지기
  ㉣ 불꽃감지기
  ㉤ 아날로그 방식의 감지기
  ㉥ 광전식 분리형 감지기
  ㉦ 정온식 감지선형 감지기
  ◎ 분포형 감지기

(5) 감지기 적응성(설치장소별)

① 설치장소별 감지기 적응성(연기감지기를 설치할 수 없는 경우 적용)

설치장소		적응열감지기									불꽃감지기	비 고
		차동식 스포트형		차동식 분포형		보상식 스포트형		정온식		열아날로그식		
환경상태	적응장소	1종	2종	1종	2종	1종	2종	특종	1종			
먼지 또는 미분 등이 다량으로 체류하는 장소	쓰레기장, 하역장, 도장실, 섬유·목재·석재 등 가공 공장	○	○	○	○	○	○	○	○	○	○	1. 불꽃감지기에 따라 감시가 곤란한 장소는 적응성이 있는 열감지기를 설치할 것 2. 차동식 분포형 감지기를 설치하는 경우에는 검출부에 먼지, 미분 등이 침입하지 않도록 조치할 것 3. 차동식 스포트형 감지기 또는 보상식 스포트형 감지기를 설치하는 경우에는 검출부에 먼지, 미분 등이 침입하지 않도록 조치할 것 4. 정온식감지기를 설치하는 경우에는 특종으로 설치할 것 5. 섬유, 목재가공 공장 등 화재확대가 급속하게 진행될 우려가 있는 장소에 설치하는 경우 정온식 감지기는 특종으로 설치할 것. 공칭작동 온도 75[℃] 이하, 열아날로그식 스포트형 감지기는 화재표시 설정은 80[℃] 이하가 되도록 할 것
수증기가 다량으로 머무는 장소	증기세정실, 탕비실, 소독실 등	×	×	×	○	×	○	○	○	○	○	1. 차동식 분포형 감지기 또는 보상식 스포트형 감지기는 급격한 온도변화가 없는 장소에 한하여 사용할 것 2. 차동식 분포형 감지기를 설치하는 경우에는 검출부에 수증기가 침입하지 않도록 조치할 것 3. 보상식 스포트형 감지기, 정온식 감지기 또는 열아날로그식 감지기를 설치하는 경우에는 방수형으로 설치할 것 4. 불꽃감지기를 설치할 경우 방수형으로 할 것
부식성 가스가 발생할 우려가 있는 장소	도금공장, 축전지실, 오수처리장 등	×	×	○	○	○	○	○	○	○	○	1. 차동식 분포형 감지기를 설치하는 경우에는 감지부가 피복되어 있고 검출부가 부식성가스에 영향을 받지 않는 것 또는 검출부에 부식성가스가 침입하지 않도록 조치할 것 2. 보상식 스포트형 감지기, 정온식 감지기 또는 열아날로그식 스포트형 감지기를 설치하는 경우에는 부식성가스의 성상에 반응하지 않는 내산형 또는 내알칼리형으로 설치할 것 3. 정온식 감지기를 설치하는 경우에는 특종으로 설치할 것

설치장소		적응열감지기								불꽃감지기	비 고
환경상태	적응장소	차동식 스포트형		차동식 분포형		보상식 스포트형		정온식		열아날로그식		
		1종	2종	1종	2종	1종	2종	특종	1종			
주방, 기타 평상시에 연기가 체류하는 장소	주방, 조리실, 용접작업장 등	×	×	×	×	×	×	○	○	○	○	1. 주방, 조리실 등 습도가 많은 장소에는 방수형 감지기를 설치할 것 2. 불꽃감지기는 UV/IR형을 설치할 것
현저하게 고온으로 되는 장소	건조실, 살균실, 보일러실, 주조실, 영사실, 스튜디오	×	×	×	×	×	×	○	○	○	×	
배기가스가 다량으로 체류하는 장소	주차장, 차고, 화물취급소 차로, 자가발전실, 트럭터미널, 엔진시험실	○	○	○	○	○	○	×	×	○	○	1. 불꽃감지기에 따라 감시가 곤란한 장소는 적응성이 있는 열감지기를 설치할 것 2. 열아날로그식 스포트형 감지기는 화재표시 설정이 60[℃] 이하가 바람직하다.
연기가 다량으로 유입할 우려가 있는 장소	음식물 배급실, 주방전실, 주방내 식품저장실, 음식물 운반용 엘리베이터, 주방주변의 복도 및 통로, 식당 등	○	○	○	○	○	○	○	○	○	×	1. 고체연료 등 가연물이 수납되어 있는 음식물배급실, 주방전실에 설치하는 정온식감지기는 특종으로 설치할 것 2. 주방주변의 복도 및 통로, 식당 등에는 정온식 감지기를 설치하지 말 것 3. 제1호 및 제2호의 장소에 열아날로그식 스포트형 감지기를 설치하는 경우에는 화재표시 설정을 60[℃] 이하로 할 것
물방울이 발생하는 장소	슬레이트 또는 철판으로 설치한 지붕 창고·공장, 패키지형 냉각기전용 수납실, 밀폐된 지하창고, 냉동실 주변 등	×	×	○	○	○	○	○	○	○	○	1. 보상식 스포트형 감지기, 정온식 감지기 또는 열아날로그식 스포트형 감지기를 설치하는 경우에는 방수형으로 설치할 것 2. 보상식 스포트형 감지기는 급격한 온도변화가 없는 장소에 한하여 설치할 것 3. 불꽃감지기를 설치하는 경우에는 방수형으로 설치할 것

설치장소		적응열감지기								불꽃감지기	비 고
환경상태	적응장소	차동식 스포트형		차동식 분포형		보상식 스포트형		정온식		열아날로그식		
		1종	2종	1종	2종	1종	2종	특종	1종			
불을 사용하는 설비로서 불꽃이 노출되는 장소	유리공장, 용선로가 있는 장소, 용접실, 주방, 작업장, 주방, 주조실 등	×	×	×	×	×	×	○	○	○	×	

주) 1. "○"는 당해 설치장소에 적응하는 것을 표시, "×"는 당해 설치장소에 적응하지 않는 것을 표시
   2. 차동식 스포트형, 차동식 분포형 및 보상식 스포트형 1종은 감도가 예민하기 때문에 비화재보 발생은 2종에 비해 불리한 조건이라는 것을 유의할 것
   3. 차동식 분포형 3종 및 정온식 2종은 소화설비와 연동하는 경우에 한해서 사용할 것
   4. 다신호식 감지기는 그 감지기가 가지고 있는 종별, 공칭작동온도별로 따르지 말고 상기 표에 따른 적응성이 있는 감지기로 할 것

② 연기감지기를 설치할 수 없는 경우(NFSC 203 [별표 2])

설치장소		적응열감지기					적응연기감지기						불꽃감지기
환경상태	적응장소	차동식 스포트형	차동식 분포형	보상식 스포트형	정온식	열아날로그식	이온화식 스포트형	광전식 스포트형	이온아날로그식 스포트형	광전아날로그식 스포트형	광전식 분리형	광전아날로그식 분리형	
흡연에 의해 연기가 체류하며 환기가 되지 않는 장소	회의실, 응접실, 휴게실, 노래연습실, 오락실, 다방, 음식점, 대합실, 카바레 등의 객실, 집회장, 연회장 등	○	○	○				◎		◎	○	○	
취침시설로 사용하는 장소	호텔객실, 여관, 수면실 등						◎	◎	◎	◎	◎	◎	
연기 이외의 미분이 떠다니는 장소	복도, 통로 등						◎	◎	◎	◎	○	○	○
바람에 영향을 받기 쉬운 장소	로비, 교회, 관람장, 옥탑에 있는 기계실		○					◎		◎	○	○	○
연기가 멀리 이동해서 감지기에 도달하는 장소	계단, 경사로							○		○	○	○	

설치장소		적응열감지기					적응연기감지기						불꽃감지기
환경상태	적응장소	차동식 스포트형	차동식 분포형	보상식 스포트형	정온식	열아날로그식	이온화식 스포트형	광전식 스포트형	이온아날로그식 스포트형	광전아날로그식 스포트형	광전식 분리형	광전아날로그식 분리형	
훈소화재의 우려가 있는 장소	전화기기실, 통신기기실, 전산실, 기계제어실							○		○	○	○	
넓은 공간으로 천장이 높아 열 및 연기가 확산하는 장소	체육관, 항공기격납고, 높은 천장의 창고·공장, 관람석 상부 등 감지기 부착높이가 8[m] 이상의 장소	○									○	○	○

비고 : 광전식 스포트형 감지기 또는 광전아날로그식 스포트형 감지기를 설치하는 경우에는 해당 감지기회로에 축적기능을 갖지 않는 것으로 할 것

주) 1. "○"는 당해 설치장소에 적응하는 것을 표시
2. "◎"는 당해 설치장소에 연기감지기를 설치하는 경우에는 해당 감지기회로에 축적기능을 갖는 것을 표시
3. 차동식 스포트형, 차동식 분포형, 보상식 스포트형 및 연기식(해당 감지기회로에 축적기능을 갖지 않는 것) 1종은 감도가 예민하기 때문에 비화재보 발생은 2종에 비해 불리한 조건이라는 것을 유의하여 따를 것
4. 차동식 분포형 3종 및 정온식 2종은 소화설비와 연동하는 경우에 한해서 사용할 것
5. 광전식 분리형 감지기는 평상시 연기가 발생하는 장소 또는 공간이 협소한 경우에는 적응성이 없음
6. 넓은 공간으로 천장이 높아 열 및 연기가 확산하는 장소로서 차동식 분포형 또는 광전식 분리형 2종을 설치하는 경우에는 제조사의 사양에 따를 것
7. 다신호식 감지기는 그 감지기가 가지고 있는 종별, 공칭작동 온도별로 따르고 표에 따른 적응성이 있는 감지기로 할 것

6 배전방식

(1) 송배전방식 : 도통시험 용이

① 원리 : 도통시험을 용이하게 하기 위하여 배선의 중간에서 분기하지 않는 방식
② 적용 : 자동화재탐지설비, 제연설비
③ 설치도

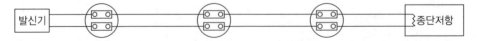

(2) 교차회로방식 : 오동작 방지

① **원리** : 하나의 방호구역 내에 2 이상의 화재감지기를 설치하고 인접한 2 이상의 화재감지기가 동시에 감지되는 때에 설비가 작동되는 방식

② **적용** : 소화설비(할론, 분말, 이산화탄소, 할로겐화합물 및 불활성기체소화약제, 스프링클러, 물분무 등)

③ **설치도**

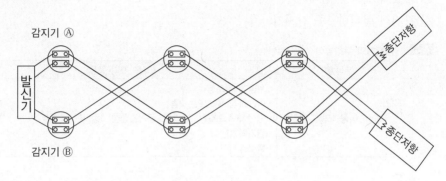

7 옥내배선기호

감지기의 종류	그림 기호	비 고
정온식 스포트형 감지기	⌂	• 방수형 : ⌂ • 내산형 : ⌂ • 내알칼리형 : ⌂ • 방폭형 : ⌂$_{EX}$
차동식 스포트형 감지기	⊟	–
보상식 스포트형 감지기	⊟	–

01 자동화재탐지설비 및 시각경보장치의 화재안전기준(NFSC 203)에 따라 부착높이 8[m] 이상 15[m] 미만에 설치 가능한 감지기가 아닌 것은? [20년 II회]

① 불꽃감지기
② 보상식 분포형 감지기
③ 차동식 분포형 감지기
④ 광전식 분리형 1종 감지기

해설 감지기의 부착높이

부착높이	감지기의 종류
8[m] 이상 15[m] 미만	• 차동식 분포형 • 이온화식 1종 또는 2종 • 광전식(스포트형, 분리형, 공기흡입형) 1종 또는 2종 • 연기복합형 • 불꽃감지기

02 부착높이가 11[m]인 장소에 적응성 있는 감지기는? [19년 2회]

① 차동식 분포형
② 정온식 스포트형
③ 차동식 스포트형
④ 정온식 감지선형

해설 1번 해설 참조

03 자동화재탐지설비 및 시각경보장치의 화재안전기준(NFSC 203)에 따라 자동화재탐지설비의 감지기 설치에 있어서 부착높이가 20[m] 이상일 때 적합한 감지기 종류는? [21년 2회]

① 불꽃감지기
② 연기복합형
③ 차동식 분포형
④ 이온화식 1종

해설 부착높이에 따른 감지기 종류

부착높이	감지기의 종류
20[m] 이상	• 불꽃감지기 • 광전식(분리형, 공기흡입형) 중 아날로그방식

비고 : 1. 감지기별 부착높이 등에 대하여 별도로 형식승인을 받은 경우에는 그 성능 인정범위 내에서 사용할 수 있다.
2. 부착높이 20[m] 이상에 설치되는 광전식 중 아날로그방식의 감지기는 공칭감지농도 하한값이 감광률 5[%/m] 미만인 것으로 한다.

04 자동화재탐지설비의 연기복합형 감지기를 설치할 수 없는 부착높이는? [18년 11회]

① 4[m] 이상 8[m] 미만
② 8[m] 이상 15[m] 미만
③ 15[m] 이상 20[m] 미만
④ 20[m] 이상

해설 3번 해설 참조

05 감지기의 설치기준 중 옳은 것은? [17년 1회]

① 보상식 스포트형 감지기는 정온점이 감지기 주위의 평상시 최고 온도보다 20[℃] 이상 높은 것으로 설치할 것
② 정온식 감지기는 주방·보일러실 등으로서 다량의 화기를 취급하는 장소에 설치하되, 공칭작동온도가 최고주위온도보다 30[℃] 이상 높은 것으로 설치할 것
③ 스포트형 감지기는 15° 이상 경사되지 아니하도록 부착할 것
④ 공기관식 차동식 분포형 감지기의 검출부는 45° 이상 경사되지 아니하도록 부착할 것

해설 감지기 설치기준
• 감지기(차동식 분포형은 제외)는 실내로의 공기유입구로부터 1.5[m] 이상 떨어진 위치에 설치할 것

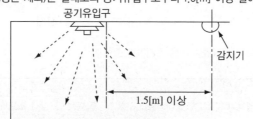

공기유입구
감지기
1.5[m] 이상

[감지기의 설치위치]

• 감지기는 천장 또는 반자의 옥내의 면하는 부분에 설치할 것
• 보상식 스포트형 감지기는 정온점이 감지기 주위의 평상시 최고 온도보다 20[℃] 이상 높은 것으로 설치할 것
• 정온식 감지기는 주방, 보일러실 등 다량의 화기를 취급하는 장소에 설치하되 공칭작동온도가 최고 주위온도보다 20[℃] 이상 높은 것으로 설치할 것
• 스포트형 감지기는 45° 이상 경사되지 아니하도록 부착할 것

06 자동화재탐지설비 및 시각경보장치의 화재안전기준(NFSC 203)에 따른 감지기의 설치기준으로 틀린 것은? [19년 4회]

① 스포트형 감지기는 45° 이상 경사되지 아니하도록 부착할 것
② 감지기(차동식 분포형의 것을 제외한다)는 실내로의 공기유입구로부터 1.5[m] 이상 떨어진 위치에 설치할 것
③ 보상식 스포트형 감지기는 정온점이 감지기 주위의 평상시 최고온도보다 10[℃] 이상 높은 것으로 설치할 것
④ 정온식 감지기는 주방·보일러실 등으로서 다량의 화기를 취급하는 장소에 설치하되 공칭작동온도가 최고주위온도보다 20[℃] 이상 높은 것으로 설치할 것

해설 5번 해설 참조

07 주요구조부를 내화구조로 한 특정소방대상물의 바닥면적이 370[m²]인 부분에 설치해야 하는 감지기의 최소 수량은?(단, 감지기의 부착높이는 바닥으로부터 4.5[m]이고, 보상식 스포트형 1종을 설치한다) [17년 1회]

① 6개   ② 7개
③ 8개   ④ 9개

해설 특정소방대상물에 따른 감지기의 종류

(단위 : [m²])

부착높이 및 특정소방대상물의 구분		감지기의 종류				
		차동식·보상식 스포트형		정온식 스포트형		
		1종	2종	특종	1종	2종
4[m] 미만	내화구조	90	70	70	60	20
	기타구조	50	40	40	30	15
4[m] 이상 8[m] 미만	내화구조	45	35	35	30	–
	기타구조	30	25	25	15	–

$$\therefore \frac{370[m^2]}{45[m^2]} = 8.22개 \qquad \therefore 9개$$

08 감지기의 부착면과 실내 바닥과의 거리가 2.3[m] 이하인 곳으로서 일시적으로 발생한 열·연기 또는 먼지 등으로 인하여 화재신호를 발신할 우려가 있는 장소에 적응성이 있는 감지기가 아닌 것은?

[17년 1회]

① 불꽃감지기
② 축적방식의 감지기
③ 정온식 감지선형 감지기
④ 광전식 스포트형 감지기

해설
- 비화재보 발생가능 장소
  - 지하층·무창층 등으로서 환기가 잘되지 아니하거나 실내면적이 40[m²] 미만인 장소
  - 감지기의 부착면과 실내바닥과의 거리가 2.3[m] 이하인 장소로서 일시적으로 발생한 열·연기 또는 먼지 등으로 인하여 감지기가 화재신호를 발생할 우려가 있는 장소
- 비화재보 발생우려 장소 가능한 감지기 종류 : 특수감지기
  - 축적방식의 감지기
  - 복합형 감지기
  - 다신호방식의 감지기
  - 불꽃감지기
  - 아날로그 방식의 감지기
  - 광전식 분리형 감지기
  - 정온식 감지선형 감지기
  - 분포형 감지기

09 자동화재탐지설비 및 시각경보장치의 화재안전기준(NFSC 203)에 따라 지하층·무창층 등으로서 환기가 잘되지 아니하거나 실내 면적이 40[m²] 미만인 장소에 설치하여야 하는 적응성이 있는 감지기가 아닌 것은?

[17년 4회, 20년 3회]

① 불꽃감지기
② 광전식 분리형 감지기
③ 정온식 스포트형 감지기
④ 아날로그방식의 감지기

해설   8번 해설 참조

10 자동화재탐지설비 및 시각경보장치의 화재안전기준(NFSC 203)에 따라 환경상태가 현저하게 고온으로 되어 연기감지기를 설치할 수 없는 건조실 또는 살균실 등에 적응성 있는 열감지기가 아닌 것은?   [2l년 2회]

① 정온식 1종
② 정온식 특종
③ 열아날로그식
④ 보상식 스포트형 1종

해설 설치장소별 감지기 적응성

설치장소		적응열감지기									
환경상태	적응장소	차동식 스포트형		차동식 분포형		보상식 스포트형		정온식		열 아날 로그식	불꽃 감지기
		1종	2종	1종	2종	1종	2종	특 종	1종		
현저하게 고온으로 되는 장소	건조실, 살균실, 보일러실, 주조실, 영사실, 스튜디오	×	×	×	×	×	×	○	○	○	×

11 일시적으로 발생한 열·연기 또는 먼지 등으로 인하여 화재신호를 발신할 우려가 있는 장소의 설치장소별 감지기 적응성 기준 중 항공기 격납고, 높은 천장의 창고 등 감지기 부착높이가 8[m] 이상의 장소에 적응성을 갖는 감지기가 아닌 것은?(단, 연기감지기를 설치할 수 있는 장소이며, 설치장소는 넓은 공간으로 천장이 높아 열 및 연기가 확산하는 환경상태이다)

[18년 1회]

① 광전식 스포트형 감지기
② 차동식 분포형 감지기
③ 광전식 분리형 감지기
④ 불꽃감지기

해설 연기감지기를 설치할 수 없는 경우

설치장소		적응열감지기					적응연기감지기						불꽃감지기
환경상태	적응장소	차동식 스포트형	차동식 분포형	보상식 스포트형	정온식	열아날로그식	이온화식 스포트형	광전식 스포트형	이온아날로그식 스포트형	광전아날로그식 스포트형	광전식 분리형	광전아날로그식 분리형	
넓은 공간으로 천장이 높아 열 및 연기가 확산하는 장소	체육관, 항공기격납고, 높은 천장의 창고·공장, 관람석 상부 등 감지기 부착높이가 8[m] 이상의 장소		○								○	○	○

8 감지기 기능시험

(1) 차동식 분포형 감지기

① 공기관식 화재작동시험

　㉠ 펌프시험 : 감지기의 작동공기압에 상당하는 공기량을 테스트펌프로 주입하여 작동할 때까지의 시간이 지정치인가를 확인하기 위한 시험

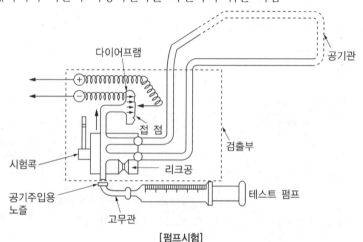

[펌프시험]

　㉡ 작동계속시험 : 감지기가 작동을 개시한 때부터 작동 정지할 때까지의 시간을 측정하여 감지기의 작동 지속 상태가 정상인가를 확인하기 위한 시험

　㉢ 유통시험 : 공기관이 새거나, 깨지거나, 찌그러짐의 여부 및 공기관의 길이를 확인하기 위한 시험

> **시험 방법**
> • 검출부의 시험공 또는 공기관의 한쪽 끝에 테스트펌프를, 다른 한쪽 끝에 마노미터를 접속한다.
> • 테스트펌프로 공기를 불어넣어 마노미터의 수위를 100[mm]까지 상승시켜 수위를 정지시킨다(정지하지 않으면 공기관에 누설이 있는 것이다).
> • 시험콕을 이동시켜 송기구를 열고 수위가 50[mm]까지 내려가는 시간(유통시간)을 측정하여 공기관의 길이를 산출한다.

　㉣ 접점수고시험 : 접점수고치가 적정치를 보유하고 있는지를 확인하기 위한 시험(접점수고치가 규정치 이상이면 감지기의 작동이 늦어지고, 접점수고치가 규정치 이하이면 감지기의 감도가 과민하여 비화재보의 원인이 된다)

② 열전대식 : 화재작동시험, 합성저항시험

(2) 스포트형 감지기

가열시험 : 감지기를 가열한 경우 감지기가 정상적으로 작동하는가를 확인

(3) 정온식 감지선형 감지기

합성저항시험 : 감지기의 단선 유무 확인

(4) 연기감지기

가연시험 : 가연시험기에 의해 가연한 경우 동작 유무 확인

> **측정기기**
> • 마노미터(Mano Meter)
> – 정의 : 공기관의 누설을 측정하기 위한 기구
> – 적응시험 : 유통시험, 접점수고시험, 연소시험
> • 테스트펌프(Test Pump)
> – 정의 : 공기관에 공기를 주입하기 위한 기구
> – 적응시험 : 유통시험, 접점수고시험
> • 초시계(Stop Watch)
> – 정의 : 공기관의 유통시간을 측정하기 위한 기구
> – 적응시험 : 유통시험

9 절연저항시험

절연저항계 전압	절연저항	대 상
직류 250[V]	0.1[MΩ] 이상	1경계구역의 절연저항
직류 500[V]	5[MΩ] 이상	• 누전경보기 • 가스누설경보기 • 수신기 • 자동화재속보설비(교류입력측과 외함 간 : 20[MΩ] 이상) • 비상경보설비 • 유도등(교류입력측과 외함 간 포함) • 비상조명등(교류입력측과 외함 간 포함)
	20[MΩ] 이상	• 경 종 • 발신기 • 중계기 • 비상콘센트 • 기기의 절연된 선로 간 • 기기의 충전부와 비충전부 간 • 기기의 교류입력측과 외함 간(유도등 · 비상조명등 제외)
	50[MΩ] 이상	• 감지기(정온식 감지선형 감지기 제외) • 가스누설경보기(10회로 이상) • 수신기(10회로 이상)
	1,000[MΩ]	정온식 감지선형 감지기

10 경계구역

(1) 정의

소방대상물 중 화재신호를 발신하고 그 신호를 수신 및 유효하게 제어할 수 있는 구역을 말한다.

(2) 자동화재탐지설비의 경계구역 설정 기준

① 하나의 경계구역이 2개 이상의 건축물에 미치지 아니하도록 할 것
② 하나의 경계구역이 2개 이상의 층에 미치지 아니하도록 할 것(다만, 500[m²] 이하의 범위 안에서는 2개의 층을 하나의 경계구역으로 할 수 있다)
③ 하나의 경계구역의 면적은 600[m²] 이하로 하고, 한 변의 길이는 50[m] 이하로 할 것(소 방대상물의 주된 출입구에서 그 내부 전체가 보이는 것에 있어서는 한 변의 길이가 50[m]의 범위 내에서 1,000[m²] 이하로 할 수 있다)

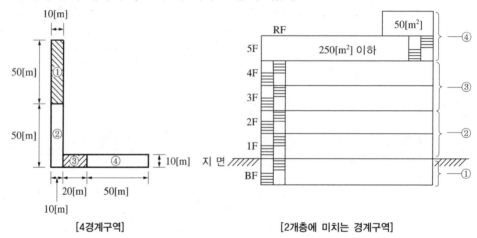

[4경계구역]   [2개층에 미치는 경계구역]

(3) 별도의 경계구역

① 계단, 경사로, 엘리베이터 승강로(권상기실), 린넨슈트, 파이프피트 및 덕트, 기타 이와 유사한 부분에 대하여는 별도로 경계구역을 설정하되 하나의 경계구역은 높이 45[m] 이하(계단, 경사로에 한함)로 할 것
② 지하층의 계단 및 경사로(지하 1층일 경우 제외)는 별도로 하나의 경계구역으로 할 것
③ 외기에 면하여 상시 개방된 부분이 있는 차고·주차장·창고 등에 있어서는 외기에 면하 는 각 부분으로부터 5[m] 미만의 범위 안에 있는 부분은 경계구역의 면적에 산입하지 아니한다.

④ 스프링클러설비·물분무 등 소화설비 또는 제연설비의 화재감지장치로서 화재감지기를 설치한 경우의 경계구역은 해당 소화설비의 방사구역 또는 제연구역과 동일하게 설정할 수 있다.

11 자동화재탐지설비 시설기준

(1) 전 원

① 자동화재탐지설비의 상용전원 설치기준
   ㉠ 전원은 전기가 정상적으로 공급되는 축전지, 전기저장장치(외부 전기에너지를 저장해 두었다가 필요한 때 전기를 공급하는 장치) 또는 교류전압의 옥내 간선으로 하고, 전원까지의 배선은 전용으로 할 것
   ㉡ 개폐기에는 "자동화재탐지설비용"이라고 표시한 표지를 할 것
② 자동화재탐지설비에는 그 설비에 대한 감시상태를 60분간 지속한 후 유효하게 10분 이상 경보할 수 있는 축전지설비(수신기에 내장하는 경우를 포함한다) 또는 전기저장장치(외부 전기에너지를 저장해 두었다가 필요한 때 전기를 공급하는 장치)를 설치하여야 한다. 다만, 상용전원이 축전지설비인 경우 또는 건전지를 주전원으로 사용하는 무선식 설비인 경우에는 그러하지 아니하다.

[비상전원용량]

설비의 종류	비상전원용량
자동화재탐지설비, 비상경보설비, 자동화재속보설비	10분 이상
유도등, 비상콘센트설비, 제연설비, 물분무소화설비, 옥내소화전설비, 특별피난계단의 계단실 및 부속실 제연설비, 스프링클러설비, 연결송수관설비 등의 30층 미만	20분 이상
무선통신보조설비의 증폭기	30분 이상
옥내소화전설비, 특별피난계단의 계단실 및 부속실 제연설비, 스프링클러설비, 연결송수관설비 등의 30~49층 이하	40분 이상
유도등·비상조명등(지하상가 및 11층 이상), 옥내소화전설비, 특별피난계단의 계단실 및 부속실 제연설비, 스프링클러설비, 연결송수관설비 등의 50층 이상	60분 이상

12 배 선

(1) 배선의 설치기준

① 전원회로의 배선은 옥내소화전설비의 화재안전기준에 따른 내화배선에 따르고, 그 밖의 배선(감지기 상호 간 또는 감지기로부터 수신기에 이르는 감지기회로의 배선을 제외한다)은 옥내소화전설비의 화재안전기준에 따른 내화배선 또는 내열배선에 따라 설치할 것

② 감지기 상호 간 또는 감지기로부터 수신기에 이르는 감지기회로의 배선은 다음의 기준에 따라 설치할 것

　㉠ 아날로그식, 다신호식 감지기나 R형수신기용으로 사용되는 것은 전자파 방해를 받지 아니하는 실드선 등을 사용하여야 하며, 광케이블의 경우에는 전자파 방해를 받지 아니하고 내열성능이 있는 경우 사용할 수 있다. 다만, 전자파 방해를 받지 아니하는 방식의 경우에는 그러하지 아니하다.

　㉡ ㉠ 외의 일반배선을 사용할 때는 옥내소화전설비의 화재안전기준에 따른 내화배선 또는 내열배선으로 사용할 것

③ 감지기회로의 도통시험을 위한 종단저항 설치기준

　㉠ 점검 및 관리가 쉬운 장소에 설치할 것

　㉡ 전용함을 설치하는 경우 그 설치 높이는 바닥으로부터 1.5[m] 이내로 할 것

　㉢ 감지기회로의 끝부분에 설치하며, 종단감지기에 설치할 경우에는 구별이 쉽도록 해당 감지기의 기판 및 감지기 외부 등에 별도의 표시를 할 것

(2) 배선시공 일반사항

① 감지기 사이의 회로의 배선은 송배전식으로 할 것

② 감지기회로 및 부속회로의 전로와 대지 사이 및 배선 상호 간의 절연저항은 1경계구역마다 직류 250[V]의 절연저항측정기를 사용하여 측정한 절연저항이 0.1[MΩ] 이상이 되도록 할 것

③ 자동화재탐지설비의 배선은 다른 전선과 별도의 관·덕트·몰드 또는 풀박스 등에 설치할 것. 다만, 60[V] 미만의 약 전류회로에 사용하는 전선으로서 각각의 전압이 같을 때에는 그러하지 아니하다.

④ 피(P)형 수신기 및 지피(G.P.)형 수신기의 감지기회로의 배선에 있어서 하나의 공통선에 접속할 수 있는 경계구역은 7개 이하로 할 것

⑤ 자동화재탐지설비의 감지기회로의 전로저항은 50[Ω] 이하가 되도록 하여야 하며, 수신기의 각 회로별 종단에 설치되는 감지기에 접속되는 배선의 전압은 감지기 정격전압의 80[%] 이상이어야 할 것

(3) 옥내소화전설비의 화재안전기준에 따른 내화배선 및 내열배선

① 내화배선

사용전선의 종류	공사 방법
1. 450/750[V] 저독성 난연 가교 폴리올레핀 절연 전선 2. 0.6/1[kV] 가교 폴리에틸렌 절연 저독성 난연 폴리올레핀 시스 전력 케이블 3. 6/10[kV] 가교 폴리에틸렌 절연 저독성 난연 폴리올레핀 시스 전력용 케이블 4. 가교 폴리에틸렌 절연 비닐시스 트레이용 난연 전력 케이블 5. 0.6/1[kV] EP 고무절연 클로로프렌 시스 케이블 6. 300/500[V] 내열성 실리콘 고무 절연전선(180[℃]) 7. 내열성 에틸렌-비닐 아세테이트 고무 절연 케이블 8. 버스덕트(Bus Duct) 9. 기타 전기용품안전관리법 및 전기설비기술기준에 따라 동등 이상의 내화성능이 있다고 주무부장관이 인정하는 것	금속관 · 2종 금속제 가요전선관 또는 합성 수지관에 수납하여 내화구조로 된 벽 또는 바닥 등에 벽 또는 바닥의 표면으로부터 25[mm] 이상의 깊이로 매설하여야 한다(다만 다음 각목의 기준에 적합하게 설치하는 경우에는 그러하지 아니하다. 가. 배선을 내화성능을 갖는 배선전용실 또는 배선용 샤프트 · 피트 · 덕트 등에 설치하는 경우 나. 배선전용실 또는 배선용 샤프트 · 피트 · 덕트 등에 다른 설비의 배선이 있는 경우에는 이로부터 15[cm] 이상 떨어지게 하거나 소화설비의 배선과 이웃하는 다른 설비의 배선 사이에 배선지름(배선의 지름이 다른 경우에는 가장 큰 것을 기준으로 한다)의 1.5배 이상의 높이의 불연성 격벽을 설치하는 경우).
내화전선	케이블공사의 방법에 따라 설치하여야 한다.

비고 : 내화전선의 내화성능은 버너의 노즐에서 75[mm]의 거리에서 온도가 750±5[℃]인 불꽃으로 3시간 동안 가열한 다음 12시간 경과 후 전선 간에 허용전류용량 3[A]의 퓨즈를 연결하여 내화시험 전압을 가한 경우 퓨즈가 단선되지 아니하는 것. 또는 소방청장이 정하여 고시한 「소방용전선의 성능인증 및 제품검사의 기술기준」에 적합할 것

② 내열배선

사용전선의 종류	공사 방법
1. 450/750[V] 저독성 난연 가교 폴리올레핀 절연 전선 2. 0.6/1[kV] 가교 폴리에틸렌 절연 저독성 난연 폴리올레핀 시스 전력 케이블 3. 6/10[kV] 가교 폴리에틸렌 절연 저독성 난연 폴리올레핀 시스 전력용 케이블 4. 가교 폴리에틸렌 절연 비닐시스 트레이용 난연 전력 케이블 5. 0.6/1[kV] EP 고무절연 클로로프렌 시스 케이블 6. 300/500[V] 내열성 실리콘 고무 절연전선(180[℃]) 7. 내열성 에틸렌-비닐 아세테이트 고무 절연 케이블 8. 버스덕트(Bus Duct) 9. 기타 전기용품안전관리법 및 전기설비기술기준에 따라 동등 이상의 내열성능이 있다고 주무부장관이 인정하는 것	금속관 · 금속제 가요전선관 · 금속덕트 또는 케이블(불연성 덕트에 설치하는 경우에 한한다) 공사방법에 따라야 한다. 다만, 다음 각목의 기준에 적합하게 설치하는 경우에는 그러하지 아니하다. 가. 배선을 내화성능을 갖는 배선전용실 또는 배선용 샤프트 · 피트 · 덕트 등에 설치하는 경우 나. 배선전용실 또는 배선용 샤프트 · 피트 · 덕트 등에 다른 설비의 배선이 있는 경우에는 이로부터 15[cm] 이상 떨어지게 하거나 소화설비의 배선과 이웃하는 다른 설비의 배선 사이에 배선지름(배선의 지름이 다른 경우에는 가장 큰 것을 기준으로 한다)의 1.5배 이상의 높이의 불연성 격벽을 설치하는 경우).
내화전선 · 내열전선	케이블공사의 방법에 따라 설치하여야 한다.

비고 : 내열전선의 내열성능은 온도가 816±10[℃]인 불꽃을 20분간 가한 후 불꽃을 제거하였을 때 10초 이내에 자연소화가 되고, 전선의 연소된 길이가 180[mm] 이하이거나 가열온도의 값을 한국산업표준(KS F 2257-1)에서 정한 건축구조부분의 내화시험방법으로 15분 동안 380[℃]까지 가열한 후 전선의 연소된 길이가 가열로의 벽으로부터 150[mm] 이하일 것. 또는 소방청장이 정하여 고시한 「소방용전선의 성능인증 및 제품검사의 기술기준」에 적합할 것

13 자동화재탐지설비의 고장원인

(1) 비화재보가 발생하는 원인

① 표시회로의 절연불량
② 감지기의 기능불량
③ 수신기의 기능불량
④ 감지기가 설치되어 있는 장소의 온도변화가 급변하는 것에 의한 것

(2) 비작동하는 원인

① 전원의 고장
② 전기회로의 접촉불량
③ 전기회로의 단선
④ 릴레이·감지기 등의 접점불량
⑤ 감지기의 기능불량

14 자동화재탐지설비의 유지관리 사항

① 수신기가 있는 장소 직근에 경계구역일람도를 비치하였는가
② 수신기 직근에 조작상 지장을 주는 장애물은 없는가
③ 수신기 조작부의 스위치는 정상위치에 있는가
④ 감지기는 유효하게 화재발생을 감지할 수 있도록 설치되었는가
⑤ 연기감지기는 출입구 부분, 흡입구가 있는 실내에서는 그 부근에 적절하게 설치되어 있는가
⑥ 발신기의 상단에 표시등은 점등되어 있는가
⑦ 비상전원이 방전되고 있지 않는가

01 공기관식 차동식 분포형 감지기의 기능시험을 하였더니 검출기의 접점수고치가 규정 이상으로 되어 있었다. 이때 발생되는 장애로 볼 수 있는 것은? [21년 1회]

① 작동이 늦어진다.
② 장애는 발생되지 않는다.
③ 동작이 전혀 되지 않는다.
④ 화재도 아닌데 작동하는 일이 있다.

해설 접점수고시험 : 접점수고치가 적정치를 보유하고 있는지를 확인하기 위한 시험(접점수고치가 규정치 이상이면 감지기의 작동이 늦어지고, 접점수고치가 규정치 이하이면 감지기의 감도가 과민하여 비화재보의 원인이 된다)

02 자동화재속보설비의 속보기의 성능인증 및 제품검사의 기술기준에 따라 교류입력측과 외함 간의 절연저항은 직류 500[V]의 절연저항계로 측정한 값이 몇 [MΩ] 이상이어야 하는가? [20년 3회]

① 5   ② 10
③ 20   ④ 50

해설 절연저항시험

절연저항계 전압	절연저항	대 상
직류 500[V]	5[MΩ] 이상	• 누전경보기 • 가스누설경보기 • 수신기 • 자동화재속보설비(교류입력측과 외함 간 : 20[MΩ] 이상) • 비상경보설비 • 유도등(교류입력측과 외함 간 포함) • 비상조명등(교류입력측과 외함 간 포함)

03 자동화재탐지설비 및 시각경보장치의 화재안전기준(NFSC 203)에 따라 특정소방대상물 중 화재신호를 발신하고 그 신호를 수신 및 유효하게 제어할 수 있는 구역을 무엇이라 하는가?

[21년 1회]

① 방호구역
② 방수구역
③ 경계구역
④ 화재구역

해설 경계구역이란 특정소방대상물 중 화재신호를 발신하고 그 신호를 수신 및 유효하게 제어할 수 있는 구역을 말한다.

04 자동화재탐지설비 및 시각경보장치의 화재안전기준(NFSC 203)에 따른 경계구역에 관한 기준이다. 다음 ( )에 들어갈 내용으로 옳은 것은?

[19년 4회]

하나의 경계구역의 면적은 (㉮) 이하로 하고 한 변의 길이는 (㉯) 이하로 하여야 한다.

① ㉮ 600[m²]　　　　　　　　　㉯ 50[m]
② ㉮ 600[m²]　　　　　　　　　㉯ 100[m]
③ ㉮ 1,200[m²]　　　　　　　　㉯ 50[m]
④ ㉮ 1,200[m²]　　　　　　　　㉯ 100[m]

해설 **자동화재탐지설비의 경계구역**
• 하나의 경계구역이 2개 이상의 건축물에 미치지 아니하도록 할 것
• 하나의 경계구역이 2개 이상의 층에 미치지 아니하도록 할 것. 다만, 500[m²] 이하의 범위 안에서는 2개의 층을 하나의 경계구역으로 할 수 있다.
• 하나의 경계구역의 면적은 600[m²] 이하로 하고, 한 변의 길이는 50[m] 이하로 할 것(다만, 특정소방대상물의 주된 출입구에서 그 내부 전체가 보이는 것에 있어서는 한 변의 길이가 50[m]의 범위 내에서 1,000[m²] 이하로 할 수 있다)

05 자동화재탐지설비 및 시각경보장치의 화재안전기준(NFSC 203)에 따라 외기에 면하여 상시 개방된 부분이 있는 차고·주차장·창고 등에 있어서는 외기에 면하는 각 부분으로부터 몇 [m] 미만의 범위 안에 있는 부분은 경계구역의 면적에 산입하지 아니 하는가?

[20년 3회]

① 1 　　　　　　　　　　　　② 3

③ 5 　　　　　　　　　　　　④ 10

해설　**별도의 경계구역**

- 계단, 경사로, 엘리베이터 승강로(권상기실), 린넨슈트, 파이프피트 및 덕트, 기타 이와 유사한 부분에 대하여는 별도로 경계구역을 설정하되 하나의 경계구역은 높이 45[m] 이하(계단, 경사로에 한함)로 할 것
- 지하층의 계단 및 경사로(지하 1층일 경우 제외)는 별도로 하나의 경계구역으로 할 것
- 외기에 면하여 상시 개방된 부분이 있는 차고·주차장·창고 등에 있어서는 외기에 면하는 각 부분으로부터 5[m] 미만의 범위 안에 있는 부분은 경계구역의 면적에 산입하지 아니한다.
- 스프링클러설비·물분무 등 소화설비 또는 제연설비의 화재감지장치로서 화재감지기를 설치한 경우의 경계구역은 해당 소화설비의 방사구역 또는 제연구역과 동일하게 설정할 수 있다.

06 자동화재탐지설비 및 시각경보장치의 화재안전기준(NFSC 203)에 따라 감지기 회로의 도통시험을 위한 종단저항의 설치기준으로 틀린 것은?

[19년 2회, 20년 1·2회]

① 동일 층 발신기함 외부에 설치할 것

② 점검 및 관리가 쉬운 장소에 설치할 것

③ 전용함을 설치하는 경우 그 설치 높이는 바닥으로부터 1.5[m] 이내로 할 것

④ 종단감지기에 설치할 경우에는 구별이 쉽도록 해당 감지기의 기판 등에 별도의 표시를 할 것

해설　**감지기회로의 도통시험을 위한 종단저항 설치기준**

- 점검 및 관리가 쉬운 장소에 설치할 것
- 전용함을 설치하는 경우, 그 설치 높이는 바닥으로부터 1.5[m] 이내로 할 것
- 감지기회로의 끝부분에 설치하며, 종단감지기에 설치할 경우에는 구별이 쉽도록 해당 감지기의 기판 등에 별도의 표시를 할 것

07 자동화재탐지설비의 수신기의 각 회로별 종단에 설치되는 감지기에 접속되는 배선의 전압은 감지기 정격전압의 최소 몇 [%] 이상이어야 하는가? [19년 1회]

① 50

② 60

③ 70

④ 80

해설 배선시공 일반사항

• 감지기 사이의 회로의 배선은 송배전식으로 할 것
• 감지기회로 및 부속회로의 전로와 대지 사이 및 배선 상호 간의 절연저항은 1경계구역마다 직류 250[V]의 절연저항측정기를 사용하여 측정한 절연저항이 0.1[MΩ] 이상이 되도록 할 것
• 자동화재탐지설비의 배선은 다른 전선과 별도의 관·덕트·몰드 또는 풀박스 등에 설치할 것. 다만, 60[V] 미만의 약 전류회로에 사용하는 전선으로서 각각의 전압이 같을 때에는 그러하지 아니하다.
• 피(P)형 수신기 및 지피(G.P.)형 수신기의 감지기회로의 배선에 있어서 하나의 공통선에 접속할 수 있는 경계구역은 7개 이하로 할 것
• 자동화재탐지설비의 감지기회로의 전로저항은 50[Ω] 이하가 되도록 하여야 하며, 수신기의 각 회로별 종단에 설치되는 감지기에 접속되는 배선의 전압은 감지기 정격전압의 80[%] 이상이어야 할 것

08 자동화재탐지설비 배선의 설치기준 중 틀린 것은? [17년 4회]

① 감지기 사이의 회로의 배선은 송배전식으로 할 것
② 감지기회로의 도통시험을 위한 종단저항은 전용함을 설치하는 경우 그 설치 높이는 바닥으로부터 1.5[m] 이내로 할 것
③ 감지기회로 및 부속회로의 전로와 대지 사이 및 배선 상호 간의 절연저항은 1경계구역마다 직류 250[V]의 절연저항측정기를 사용하여 측정한 절연저항이 0.1[MΩ] 이상이 되도록 할 것
④ 피(P)형 수신기 및 지피(G.P.)형 수신기의 감지기 회로의 배선에 있어서 하나의 공통선에 접속할 수 있는 경계구역은 9개 이하로 할 것

해설 7번 해설 참조

09 자동화재탐지설비 배선의 설치기준 중 옳은 것은? [18년 1회]

① 감지기 사이의 회로의 배선은 교차회로 방식으로 설치하여야 한다.

② 피(P)형 수신기 및 지피(G.P.)형 수신기의 감지기 회로의 배선에 있어서 하나의 공통선에 접속할 수 있는 경계구역은 10개 이하로 설치하여야 한다.

③ 자동화재탐지설비의 감지기회로의 전로저항은 80[Ω] 이하가 되도록 하여야 하며, 수신기의 각 회로별 종단에 설치되는 감지기에 접속되는 배선의 전압은 감지기 정격전압의 50[%] 이상이어야 한다.

④ 자동화재탐지설비의 배선은 다른 전선과 별도의 관·덕트·몰드 또는 풀박스 등에 설치할 것. 다만, 60[V] 미만의 약 전류회로에 사용하는 전선으로서 각각의 전압이 같을 때에는 그러하지 아니하다.

해설　7번 해설 참조

10 자동화재탐지설비 및 시각경보장치의 화재안전기준(NFSC 203)에 따른 배선의 시설기준으로 틀린 것은? [20년 3회, 21년 2회]

① 감지기 사이의 회로의 배선은 송배전식으로 할 것

② 감지기 회로의 도통시험을 위한 종단저항은 감지기회로의 끝부분에 설치할 것

③ 피(P)형 수신기의 감지기 회로의 배선에 있어서 하나의 공통선에 접속할 수 있는 경계구역은 5개 이하로 할 것

④ 수신기의 각 회로별 종단에 설치되는 감지기에 접속되는 배선의 전압은 감지기 정격전압은 80[%] 이상이어야 할 것

해설　7번 해설 참조

11 비상경보설비 및 단독경보형 감지기의 화재안전기준(NFSC 201)에 따라 비상벨설비 또는 자동식사이렌설비의 전원회로 배선 중 내열배선에 사용하는 전선의 종류가 아닌 것은?

[20년 1·2회]

① 버스덕트(Bus Duct)
② 600[V] 1종 비닐절연전선
③ 0.6/1[kV] EP 고무절연 클로로프렌 시스 케이블
④ 450/750[V] 저독성 난연 가교 폴리올레핀 절연 전선

해설 **내열배선**

사용전선의 종류
1. 450/750[V] 저독성 난연 가교 폴리올레핀 절연 전선
2. 0.6/1[kV] 가교 폴리에틸렌 절연 저독성 난연 폴리올레핀 시스 전력 케이블
3. 6/10[kV] 가교 폴리에틸렌 절연 저독성 난연 폴리올레핀 시스 전력용 케이블
4. 가교 폴리에틸렌 절연 비닐시스 트레이용 난연 전력 케이블
5. 0.6/1[kV] EP 고무절연 클로로프렌 시스 케이블
6. 300/500[V] 내열성 실리콘 고무 절연전선(180[℃])
7. 내열성 에틸렌-비닐 아세테이트 고무 절연 케이블
8. 버스덕트(Bus Duct)
9. 기타 전기용품안전관리법 및 전기설비기술기준에 따라 동등 이상의 내열성능이 있다고 주무부장관이 인정하는 것

핵심
예제

제2절 | 발신기, 중계기, 수신기

1 발신기

감지기 작동 전에 화재발견자가 수동으로 발신기 버튼을 눌러 화재발생을 수신기 또는 중계기에 발신하는 장치

(1) 구성요소

보호판, 스위치, 전화잭, 응답램프(응답확인램프), 외함, 명판

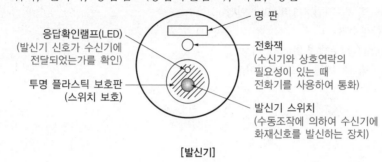

응답확인램프(LED)
(발신기 신호가 수신기에 전달되었는가를 확인)

투명 플라스틱 보호판
(스위치 보호)

명 판

전화잭
(수신기와 상호연락의 필요성이 있는 때 전화기를 사용하여 통화)

발신기 스위치
(수동조작에 의하여 수신기에 화재신호를 발신하는 장치)

[발신기]

(2) 발신기와 수신기 결선

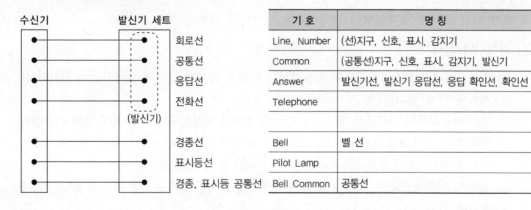

기 호	명 칭
Line, Number	(선)지구, 신호, 표시, 감지기
Common	(공통선)지구, 신호, 표시, 감지기, 발신기
Answer	발신기선, 발신기 응답선, 응답 확인선, 확인선
Telephone	
Bell	벨 선
Pilot Lamp	
Bell Common	공통선

(3) 설치기준

① 다수인이 보기 쉽고 조작이 용이한 장소에 설치할 것

② 스위치는 바닥으로부터 0.8[m] 이상 1.5[m] 이하의 높이에 설치할 것

③ 특정소방대상물의 층마다 설치하되, 해당 특정소방대상물의 각 부분으로부터 하나의 발신기까지의 수평거리가 25[m] 이하(터널은 주행 방향의 측벽 길이 50[m] 이내)가 되도록 할 것

④ 복도 또는 별도의 구획된 실로서 보행거리가 40[m] 이상일 경우에는 추가로 설치한다.

⑤ 발신기의 위치를 표시하는 표시등은 함의 상부에 설치하되, 그 불빛은 부착면으로부터 15° 이상의 범위 안에서 부착지점으로부터 10[m] 이내의 어느 곳에서도 쉽게 식별할 수 있는 적색등으로 하여야 한다.

⑥ 발신기의 작동스위치는 동작방향으로 가하는 힘이 2[kg]을 초과하고 8[kg] 이하인 범위에서 확실하게 동작하여야 하고, 2[kg] 힘을 가하는 경우 동작하지 않아야 한다.

> **발신기와 외함 두께**
> • 강 판
>   - 외함 두께 : 1.2[mm] 이상
>   - 벽 속 매립 : 1.6[mm] 이상
> • 합성수지
>   - 외함 두께 : 3[mm] 이상
>   - 벽 속 매립 : 4[mm] 이상

2 중계기

감지기 또는 발신기에 의한 신호 또는 가스누설경보기의 탐지부에서 발하여진 가스누설신호를 받아 이를 수신기, 가스누설경보기, 자동소화설비의 제어반에 발신하며 소화설비, 제연설비, 그 밖에 이와 유사한 방재설비에 제어신호를 발신하는 작용을 한다.

(1) 중계기의 설치기준

① 수신기에서 직접감지기회로의 도통시험을 행하지 아니하는 것에 있어서는 수신기와 감지기 사이에 설치할 것

② 수신기에 의하여 감시되지 아니하는 배선을 통하여 전력을 공급받는 것에 있어서는 전원 입력 측의 배선에 과전류차단기를 설치하고 해당 전원의 정전이 즉시 수신기에 표시되는 것으로 하며, 상용전원 및 예비전원의 시험을 할 수 있도록 할 것

③ 조작 및 점검에 편리하고 화재 및 침수 등의 재해로 인한 피해를 받을 우려가 없는 장소에 설치할 것

(2) 중계기의 구조 및 기능

① 정격전압이 60[V]를 넘는 중계기(수신기)의 강판 외함에는 접지단자를 설치할 것

② 예비전원회로에는 단락사고 등으로부터 보호하기 위한 퓨즈 등 과전류보호장치를 설치할 것

③ 수신개시로부터 발신개시까지의 시간이 5초 이내이어야 할 것

(3) 축전지의 충전시험 및 방전시험은 방전종지전압을 기준으로 하여 시작한다. 이 경우 방전종지전압이라 함은 원통형 니켈카드뮴축전지는 셀당 1.0[V]의 상태를, 무보수밀폐형 연축전지는 단전지당 1.75[V]의 상태를 말한다.

[수신개시 후 소요시간]

설 비	P형, R형 수신기 중계기	비상방송설비	가스누설경보기
소요시간	5초 이내	10초 이내	60초 이내

3 수신기

(1) 개 요

감지기나 발신기의 신호를 수신하여 직접 또는 중계기를 거쳐서 화재의 발생장소를 표시 및 경보하는 장치

(2) 수신기의 종류

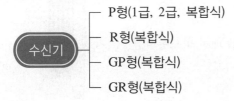

수신기
- P형(1급, 2급, 복합식)
- R형(복합식)
- GP형(복합식)
- GR형(복합식)

(3) 수신기 용어 정리

① P형 수신기 : 감지기나 발신기로부터 신호를 직접 또는 중계기를 통하여 공통신호로서 수신하여 화재의 발생을 당해 소방대상물의 관계자에게 경보하여 주는 것을 말한다.

② R형 수신기 : 감지기나 발신기로부터 신호를 직접 또는 중계기를 통하여 고유신호로서 수신하여 화재의 발생을 당해 소방대상물의 관계자에게 경보하여 주는 것을 말한다.

③ GP형 수신기 : P형 수신기의 기능 및 가스누설경보기의 수신부 기능을 겸한 것을 말한다. 다만, 가스누설경보기의 수신부의 기능 중 가스농도 감시장치는 설치하지 아니할 수 있다.

④ GR형 수신기 : R형 수신기의 기능 및 가스누설경보기의 수신부 기능을 겸한 것을 말한다. 다만, 가스누설경보기의 수신부의 기능 중 가스농도 감시장치는 설치하지 아니할 수 있다.

⑤ P형 복합식 수신기 : 감지기나 발신기로부터 신호를 직접 또는 중계기를 통하여 공통신
호로서 수신하여 화재의 발생을 당해 소방대상물의 관계자에게 경보하여 주고 자동 또는
수동으로 옥내·외소화전설비, 스프링클러설비, 물분무소화설비, 포소화설비, 이산화
탄소소화설비, 할로겐화물 소화설비, 분말소화설비, 배연설비 등의 가압송수장치 또는
기동장치 등을 제어하는(이하 "제어기능"이라 한다) 것을 말한다.
⑥ R형 복합식 수신기 : 감지기나 발신기로부터 신호를 직접 또는 중계기를 통하여 고유신
호로서 수신하여 화재의 발생을 당해 소방대상물의 관계자에게 경보하여 주고 제어기능
을 수행하는 것을 말한다.
⑦ GP형 복합식 수신기 : P형 복합식 수신기 및 가스누설경보기의 수신부 기능을 겸한
것을 말한다.
⑧ GR형 복합식 수신기 : R형 복합식 수신기 및 가스누설경보기의 수신부 기능을 겸한
것을 말한다.

(4) 수신기의 구조 및 기능

① P형 수신기의 기능
　㉠ P형 1급 수신기
　　ⓐ 화재표시작동 시험장치
　　ⓑ 수신기와 감지기 등과의 사이의 외부 배선의 도통시험
　　　장치
　　ⓒ 주전원과 예비전원 자동절환장치
　　ⓓ 예비전원의 양부 시험장치
　　ⓔ 발신기 등과 연락할 수 있는 전화연락장치

[P형 1급 수신기]

　㉡ P형 2급 수신기
　　ⓐ 회선수가 5회선 이하인 수신기
　　ⓑ P형 2급 1회선용 수신기는 예비전원이 필요하지 않고
　　　연면적 $350[m^2]$ 이하의 특정소방대상물에 설치
　　　• 화재표시작동 시험장치
　　　• 주전원과 예비전원 자동절환장치
　　　• 예비전원의 양부 시험장치

[P형 2급 수신기]

　㉢ P형 수신기 표시장치 : 화재표시등, 지구표시등, 주전원등, 예비전원 감시등, 발신기
　　등, 스위치 주의등, 주경종등, 지구경종등
　㉣ P형 수신기 정상작동 시
　　ⓐ 지구벨
　　ⓑ 지구램프
　　ⓒ 화재램프 점등

② R형 수신기

감지기나 R형 발신기에서 발하여지는 신호를 중계기를 통하여 고유신호를 수신하여 화재의 발생을 특정소방대상물의 관계자에게 통보하는 것으로 2본의 신호선으로 중계기 100개분의 신호를 선택 수신할 수 있는 기능을 갖는 수신기를 말한다.

㉠ 기 능
   ⓐ 화재표시작동시험장치
   ⓑ 수신기와 중계기 사이의 단선·단락·도통시험장치
   ⓒ 상용전원과 예비전원의 자동절환장치
   ⓓ 예비전원 양부시험장치
   ⓔ 기록장치
   ⓕ 지구등 또는 적당한 표시장치

[R형 수신기(복합형)]

㉡ R형 수신기의 특징
   ⓐ 선로수가 적고 선로길이를 길게 할 수 있다.
   ⓑ 증설 또는 이설이 쉽다.
   ⓒ 발보지구를 선명하게 숫자로 표시할 수 있다.
   ⓓ 신호의 전달이 확실하다.
   ⓔ 반드시 중계기가 필요하다.
   ⓕ 기록장치가 있다.

[P형 수신기와 R형 수신기의 비교]

구 분	P형 수신기	R형 수신기
시스템	P형 수신기	중계기 / R형 수신기
신호전송방식	1:1 접점방식	다중전송방식
신호의 종류	공통신호	고유신호
화재표시기구	램프(Lamp)	액정표시장치(LCD)
자기진단기능	없 음	있 음
선로수	많이 필요하다.	적게 필요하다.
배관배선공사	선로수가 많아 복잡하다.	선로수가 적어 간단하다.
유지관리	어렵다.	선로수가 적고 자기진단기능에 의해 고장발생을 자동으로 경보·표시하므로 쉽다.
수신반가격	기능이 단순하므로 가격이 저렴	감지·제어를 위해 여러 기능이 추가되어 있으므로 가격이 고가
화재표시방식	창구식, 지도식	창구식, 지도식, CRT식, 디지털식

(5) 수신기의 설치기준

① 수신기의 적합 설치기준
- ㉠ 해당 특정소방대상물의 경계구역을 각각 표시할 수 있는 회선수 이상의 수신기를 설치할 것
- ㉡ 4층 이상의 특정소방대상물에는 발신기와 전화통화가 가능한 수신기를 설치할 것
- ㉢ 해당 특정소방대상물에 가스누설탐지설비가 설치된 경우에는 가스누설탐지설비로 부터 가스누설신호를 수신하여 가스누설경보를 할 수 있는 수신기를 설치할 것(가스 누설탐지설비의 수신부를 별도로 설치한 경우에는 제외한다)

② 수신기의 설치기준
- ㉠ 수위실 등 상시 사람이 근무하는 장소에 설치할 것(단, 사람이 상시 근무하는 장소가 없는 경우에는 관계인이 쉽게 접근할 수 있고 관리가 용이한 장소에 설치할 수 있다)
- ㉡ 수신기가 설치된 장소에는 경계구역일람도를 비치할 것(단, 주수신기를 설치하는 경우에는 주수신기를 제외한 기타 수신기는 제외)
- ㉢ 수신기의 음향기구는 그 음량 및 음색이 다른 기기의 소음 등과 명확히 구별될 수 있는 것으로 할 것
- ㉣ 수신기는 감지기·중계기 또는 발신기가 작동하는 경계구역을 표시할 수 있는 것으 로 할 것
- ㉤ 가스·전기화재 등에 대한 종합방재반을 설치한 경우에는 해당 조작반에 수신기의 작동과 연동하여 감지기·중계기 또는 발신기가 작동하는 경계구역을 표시할 수 있 는 것으로 할 것
- ㉥ 하나의 경계구역은 하나의 표시등 또는 하나의 문자로 표시되도록 할 것
- ㉦ 수신기의 조작스위치는 바닥으로부터 높이가 0.8~1.5[m] 이하인 장소에 설치할 것
- ㉧ 하나의 특정소방대상물에 2 이상의 수신기를 설치하는 경우에는 수신기를 상호 간 연동하여 화재발생상황을 각 수신기마다 확인할 수 있도록 할 것

(6) 수신기의 성능시험

① 화재표시작동시험 : 화재작동 시 수신기의 당해 지구표시 및 화재표시등의 점등과 음향 장치의 명동을 확인하기 위한 시험
- ㉠ 시험방법 : 동작시험스위치 및 자동복구스위치를 시험의 위치에 놓고, 그 후 회로선 택스위치를 회로별로 회전시킨다.
  - ⓐ 회로선택스위치로서 실행하는 시험 : 동작시험스위치를 눌러서 스위치 주의등의 점등을 확인하고 회로선택스위치를 차례로 회전시켜 1회로마다 화재 시의 작동시 험을 행할 것
  - ⓑ 감지기 또는 발신기의 작동시험과 함께 행하는 방법 : 감지기 또는 발신기를 차례 로 작동시켜 경계구역과 지구표시등과의 접속상태를 확인할 것

      ⓛ 가부판정의 기준 : 각 릴레이(Relay)의 작동, 화재표시등, 지구표시등, 그 밖의 표시장치의 점등(램프의 단선도 함께 확인할 것) 및 음향장치 작동확인

      ⓒ 화재표시작동시험 불량 시의 점검부분

        ⓐ 릴레이의 작동

        ⓑ 램프의 단선

        ⓒ 회로의 단선

        ⓓ 회로선택스위치

  ② 회로도통시험

      ㉠ 시험방법 : 감지기회로의 단선의 유무와 기기 등의 접속상황을 확인하기 위한 시험

        ⓐ 도통시험스위치를 시험의 위치에 놓는다.

        ⓑ 회로선택스위치를 차례로 회전시킨다.

        ⓒ 각 회선별로 전압계의 전압을 확인한다(단, 발광다이오드로 그 정상유무를 표시하는 것은 발광다이오드의 점등유무를 확인한다).

        ⓓ 종단저항 등의 접속상황을 조사한다.

      ⓛ 가부판정의 기준 : 각 회선의 전압계의 지시치 또는 발광다이오드(LED)의 점등유무 상황이 정상일 것(녹색범위 : 2~6[V] 사이 정상, 적색범위 단락 : 22~26[V], 전압계 지시가 0이면 단선)

  ③ 공통선시험(단, 7회선 이하는 제외)

      ㉠ 목적 : 공통선이 담당하고 있는 경계구역의 적정여부 확인

      ⓛ 시험방법

        ⓐ 수신기 내 접속단자의 회로공통선을 1선 제거한다.

        ⓑ 회로도통시험의 예에 따라 도통시험스위치를 누르고, 회로선택스위치를 차례로 회전시킨다.

        ⓒ 전압계 또는 발광다이오드를 확인하여 단선을 지시한 경계구역의 회선수를 조사한다.

      ⓒ 가부판정의 기준 : 공통선이 담당하고 있는 경계구역수가 7 이하일 것

  ④ 동시작동시험(단, 1회선은 제외)

      ㉠ 목적 : 감지기가 동시에 수회선 동작하더라도 수신기의 기능에 이상이 없는가를 확인

      ⓛ 시험방법

        ⓐ 주전원에 의해 행한다.

        ⓑ 각 회선의 화재작동을 복구시키는 일이 없이 5회선(5회선 미만은 전회선)을 동시에 작동시킨다.

        ⓒ ⓑ의 경우 주음향장치 및 지구음향장치를 작동시킨다.

        ⓓ 부수신기와 표시기를 함께 하는 경우는 이 모두를 작동상태로 하고 행한다.

      ⓒ 가부판정의 기준 : 각 회선을 동시 작동시켰을 때 수신기, 부수신기, 표시기, 음향장치 등의 기능에 이상이 없고, 또한 화재 시 작동을 정확하게 계속하는 것일 것

⑤ 예비전원시험

    ⊙ 목적 : 상용전원 및 비상전원이 사고 등으로 정전된 경우, 자동적으로 예비전원으로 절환되며, 또한 정전복구 시에 자동적으로 상용전원으로 절환되는지의 여부

    ⓛ 시험방법

      ⓐ 예비전원시험스위치를 누른다.

      ⓑ 전압계의 지시치가 지정치의 범위 내에 있을 것(단, 발광다이오드로 그 정상유무를 표시하는 것은 발광다이오드의 정상 점등유무를 확인한다)

      ⓒ 교류전원을 개로하고 자동절환릴레이의 작동상황을 조사한다.

    ⓒ 가부판정의 기준 : 예비전원의 전압, 용량, 절환상황 및 복구작동이 정상일 것 (전압계의 지시치가 24[V]이고 상용전원에서 예비전원으로 절환되면 정상)

⑥ 회로저항시험

    ⊙ 목적 : 감지기회로의 1회선의 선로저항치가 수신기의 기능에 이상을 가져오는지의 여부를 다음에 따라 시험할 것

    ⓛ 시험방법

      ⓐ 저항계를 사용하여 감지기회로의 공통선과 표시선 사이의 전로에 대해 측정한다.

      ⓑ 항상 개로식인 것에 있어서는 회로의 말단상태를 도통상태로 하여 측정한다.

    ⓒ 가부판정의 기준 : 하나의 감지기 회로의 합성저항치가 50[Ω] 이하일 것

⑦ 저전압시험

    ⊙ 목적 : 전원전압이 저하한 경우에 충분히 유지되는가의 여부를 다음에 따라 시험할 것

    ⓛ 시험방법

      ⓐ 자동화재탐지설비용 전압시험기 또는 가변저항기 등을 사용하여 교류전원 전압을 정격전압의 80[%] 이하로 할 것

      ⓑ 축전지 설비인 경우에는 축전지의 단자를 절환하여 정격전압이 80[%] 이하의 전압으로 한다.

      ⓒ 화재표시작동시험에 준하여 실행한다.

    ⓒ 가부판정의 기준 : 화재신호를 정상적으로 수신할 수 있을 것

    ※ 수신기에 내장하는 음향장치는 사용전압의 최소 80[%]인 전압에서 소리를 내어야 한다.

⑧ 비상전원시험

    비상전원으로 축전지설비를 사용하는 것에 대해 행한다.

(7) P형 수신기의 고장진단

고장증상	예상원인	점검방법
상용전원 감시등 소등	① 정 전	상용전원 확인
	② Fuse 단선	전원스위치를 끄고 Fuse 확인 및 교체
	③ 입력전원 전원선 불량	외부전원선 점검(절연, 도통)
	④ 전원회로부 훼손	트랜스 2차측 24[V] AC 및 다이오드 출력 24[V] DC 확인(멀티테스터기로 전압 확인)
예비전원 감시등 소등	① Fuse 단선	확인·교체
	② 충전불량	충전전압 확인(멀티테스터기로 전압 확인)
	③ 배터리소켓 접속불량	배터리 감시 표시등의 점등 확인(접속)
	④ 장기간 정전으로 인한 배터리의 완전방전	소켓단자 확인(전압 확인)

(8) 수신기의 절연저항시험

① 사용기기

직류 250[V]급 메거(Megger)

② 측정방법

㉠ 기기 부착 전 : 배선 상호 간

㉡ 기기 부착 후 : 배선과 대지 사이

③ 판정기준

1경계구역마다 0.1[MΩ] 이상일 것

※ 수신기의 절연저항시험

- 절연된 충전부와 외함 간 : 직류 500[V] 절연저항계, 5[MΩ] 이상(단, 중계기가 10 이상인 것은 교류입력측과 외함 간을 제외하고 1회선당 50[MΩ] 이상)
- 교류입력측과 외함 간 : 직류 500[V] 절연저항계, 20[MΩ] 이상
- 절연된 선로 간 : 직류 500[V] 절연저항계, 20[MΩ] 이상

명 칭	그림기호	적 요
수신기		• 가스누설경보설비와 일체인 것 • 가스누설경보설비 및 방배연 연동과 일체인 것
부수신기(표시기)		–
중계기		–

안심Touch

명 칭	그림기호	적 요
배전반, 분전반 및 제어반		• 배전반 : • 분전반 : • 제어반 :

※ 음향장치
① 주음향장치는 수신기의 내부 또는 그 직근에 설치할 것
② 층수가 5층 이상으로서 연면적이 3,000[m²]를 초과하는 특정소방대상물은 다음에 따라 경보를 발할 수 있도록 하여야 한다(30층 미만).
　㉠ 2층 이상의 층에서 발화한 때에는 발화층 및 그 직상층에 경보를 발할 것
　㉡ 1층에서 발화한 때에는 발화층·그 직상층 및 지하층에 경보를 발할 것
　㉢ 지하층에서 발화한 때에는 발화층·그 직상층 및 기타의 지하층에 경보를 발할 것
③ 지구음향장치는 특정소방대상물의 층마다 설치하되, 해당 특정소방대상물의 각 부분으로부터 하나의 음향장치까지의 수평거리가 25[m] 이하가 되도록 하고, 해당 층의 각 부분에 유효하게 경보를 발할 수 있도록 설치할 것. 다만, 비상방송설비의 화재안전기준에 적합한 방송설비를 자동화재탐지설비의 감지기와 연동하여 작동하도록 설치한 경우에는 지구음향장치를 설치하지 아니할 수 있다.
④ 음향장치는 다음의 기준에 따른 구조 및 성능의 것으로 하여야 한다.
　㉠ 정격전압의 80[%] 전압에서 음향을 발할 수 있는 것으로 할 것. 다만, 건전지를 주전원으로 사용하는 음향장치는 그러하지 아니하다.
　㉡ 음량은 부착된 음향장치의 중심으로부터 1[m] 떨어진 위치에서 90[dB] 이상이 되는 것으로 할 것
　㉢ 감지기 및 발신기의 작동과 연동하여 작동할 수 있는 것으로 할 것
⑤ ③의 기준을 초과하는 경우로서 기둥 또는 벽이 설치되지 아니한 대형 공간의 경우 지구음향장치는 설치 대상 장소의 가장 가까운 장소의 벽 또는 기둥 등에 설치할 것
⑥ 하나의 특정소방대상물에 2 이상의 수신기가 설치된 경우 어느 수신기에서도 지구음향장치 및 시각경보장치를 작동할 수 있도록 할 것

화재발생층	경보층	
	30층 미만	30층 이상
2층 이상의 층	발화층 및 그 직상층	발화층 및 그 직상 4개층
1층 발화 시	발화층 및 그 직상층, 지하 전층	발화층 및 그 직상 4개층, 지하 전층
지하층 발화 시	발화층 및 그 직상층, 지하 전층	발화층 및 그 직상층, 지하 전층

핵/심/예/제

01 자동화재탐지설비 및 시각경보장치의 화재안전기준(NFSC 203)에 따른 발신기의 시설기준에 대한 내용이다. 다음 (   )에 들어갈 내용으로 옳은 것은? [21년 2회]

> 발신기의 위치를 표시하는 표시등은 함의 상부에 설치하되, 그 불빛은 부착면으로부터 (㉠)°
> 이상의 범위 안에서 부착지점으로부터 (㉡)[m] 이내의 어느 곳에서도 쉽게 식별할 수 있는
> 적색등으로 하여야 한다.

① ㉠ 10, ㉡ 10　　　　　　　② ㉠ 15, ㉡ 10
③ ㉠ 25, ㉡ 15　　　　　　　④ ㉠ 25, ㉡ 20

해설　설치기준
- 다수인이 보기 쉽고 조작이 용이한 장소에 설치할 것
- 스위치는 바닥으로부터 0.8[m] 이상 1.5[m] 이하의 높이에 설치할 것
- 특정소방대상물의 층마다 설치하되, 해당 특정소방대상물의 각 부분으로부터 하나의 발신기까지의 수평거리가 25[m] 이하(터널은 주행 방향의 측벽 길이 50[m] 이내)가 되도록 할 것
- 복도 또는 별도의 구획된 실로서 보행거리가 40[m] 이상일 경우에는 추가로 설치한다.
- 발신기의 위치를 표시하는 표시등은 함의 상부에 설치하되, 그 불빛은 부착면으로부터 15° 이상의 범위 안에서 부착지점으로부터 10[m] 이내의 어느 곳에서도 쉽게 식별할 수 있는 적색등으로 하여야 한다.
- 발신기의 작동스위치는 동작방향으로 가하는 힘이 2[kg]을 초과하고 8[kg] 이하인 범위에서 확실하게 동작하여야 하고, 2[kg] 힘을 가하는 경우 동작하지 않아야 한다.

02 발신기의 형식승인 및 제품검사의 기술기준에 따라 발신기의 작동기능에 대한 내용이다. 다음 (   )에 들어갈 내용으로 옳은 것은? [17년 2회, 21년 1회]

> 발신기의 조작부는 작동스위치의 동작방향으로 가하는 힘이 (㉠)[kg]을 초과하고 (㉡)[kg]
> 이하인 범위에서 확실하게 동작되어야 하며, (㉠)[kg]의 힘을 가하는 경우 동작되지 아니하여
> 야 한다. 이 경우 누름판이 있는 구조로서 손끝으로 눌러 작동하는 방식의 작동스위치는 누름판
> 을 포함한다.

① ㉠ 2, ㉡ 8　　　　　　　② ㉠ 3, ㉡ 7
③ ㉠ 2, ㉡ 7　　　　　　　④ ㉠ 3, ㉡ 8

해설　1번 해설 참조

03 발신기의 외함을 합성수지로 사용하는 경우 외함의 최소 두께는 몇 [mm] 이상이어야 하는가? [17년 2회]

① 5 ② 3

③ 1.6 ④ 1.2

해설 발신기의 외함 두께
- 강 판
  - 외함 : 1.2[mm] 이상
  - 외함(벽 속 매립) : 1.6[mm] 이상
- 합성수지
  - 외함 : 3[mm] 이상
  - 외함(벽 속 매립) 4[mm] 이상

핵심예제

04 자동화재탐지설비 수신기의 구조기준 중 정격전압이 몇 [V]를 넘는 기구의 금속제 외함에는 접지단자를 설치하여야 하는가? [17년 4회]

① 30 ② 60

③ 100 ④ 300

해설 정격전압이 60[V]를 넘는 기구의 금속제 외함에는 접지단자를 설치할 것

05 수신기를 나타내는 소방시설 도시기호로 옳은 것은? [20년 1·2회]

① ▢(X) ② ▢(+X)

③ ▢(⊞) ④ ▢(⊟)

해설 ① 제어반
② 수신기
③ 부수신기
④ 중계기

3 ② 4 ② 5 ② **정답**

06 자동화재탐지설비 및 시각경보장치의 화재안전기준(NFSC 203)에 따른 자동화재탐지설비의 수신기 설치기준에 관한 사항 중, 최소 몇 층 이상의 특정소방대상물에는 발신기와 전화통화가 가능한 수신기를 설치하여야 하는가? [17년 4회, 19년 4회]

① 3
② 4
③ 5
④ 7

해설 수신기의 적합 설치기준
• 해당 특정소방대상물의 경계구역을 각각 표시할 수 있는 회선수 이상의 수신기를 설치할 것
• 4층 이상의 특정소방대상물에는 발신기와 전화통화가 가능한 수신기를 설치할 것
• 해당 특정소방대상물에 가스누설탐지설비가 설치된 경우에는 가스누설탐지설비로부터 가스누설신호를 수신하여 가스누설경보를 할 수 있는 수신기를 설치할 것(가스누설탐지설비의 수신부를 별도로 설치한 경우에는 제외한다)

핵심
예제

07 자동화재탐지설비 및 시각경보장치의 화재안전기준(NFSC 203)에 따라 자동화재탐지설비에서 4층 이상의 특정소방대상물에는 어떤 기기와 전화통화가 가능한 수신기를 설치하여야 하는가? [18년 2회, 20년 1·2회]

① 발신기
② 감지기
③ 중계기
④ 시각경보장치

해설 6번 해설 참조

안심Touch

08 수신기의 구조 및 일반기능에 대한 설명 중 틀린 것은?(단, 간이형수신기는 제외한다)

[18년 1회]

① 수신기(1회선용은 제외한다)는 2회선이 동시에 작동하여도 화재표시가 되어야 하며, 감지기의 감지 또는 발신기의 발신개시로부터 P형, P형 복합식, GP형, GP형 복합식, R형, R형 복합식, GR형 또는 GR형 복합식 수신기의 수신완료까지의 소요시간은 5초 (축적형의 경우에는 60초) 이내이어야 한다.

② 수신기의 외부배선 연결용 단자에 있어서 공통신호선용 단자는 10개 회로마다 1개 이상 설치하여야 한다.

③ 화재신호를 수신하는 경우 P형, P형 복합식, GP형, GP형 복합식, R형, R형 복합식, GR형 또는 GR형 복합식의 수신기에 있어서는 2 이상의 지구표시장치에 의하여 각각 화재를 표시할 수 있어야 한다.

④ 정격전압이 60[V]를 넘는 기구의 금속제 외함에는 접지단자를 설치하여야 한다.

해설 **공통선시험(단, 7회선 이하는 제외)**
- 목적 : 공통선이 담당하고 있는 경계구역의 적정여부 확인
- 시험방법
  - 수신기 내 접속단자의 회로공통선을 1선 제거한다.
  - 회로도통시험의 예에 따라 도통시험스위치를 누르고, 회로선택스위치를 차례로 회전시킨다.
  - 전압계 또는 발광다이오드를 확인하여 단선을 지시한 경계구역의 회선수를 조사한다.
- 가부판정의 기준 : 공통선이 담당하고 있는 경계구역수가 7 이하일 것

09 자동화재탐지설비 및 시각경보장치의 화재안전기준(NFSC 203)에 따라 자동화재탐지설비의 주음향장치의 설치 장소로 옳은 것은? [21년 1회]

① 발신기의 내부

② 수신기의 내부

③ 누전경보기의 내부

④ 자동화재속보설비의 내부

해설 음향장치

- 주음향장치는 수신기의 내부 또는 그 직근에 설치할 것
- 층수가 5층 이상으로서 연면적이 3,000[m²]를 초과하는 특정소방대상물은 다음에 따라 경보를 발할 수 있도록 하여야 한다(30층 미만).
  - 2층 이상의 층에서 발화한 때에는 발화층 및 그 직상층에 경보를 발할 것
  - 1층에서 발화한 때에는 발화층·그 직상층 및 지하층에 경보를 발할 것
  - 지하층에서 발화한 때에는 발화층·그 직상층 및 기타의 지하층에 경보를 발할 것
- 지구음향장치는 특정소방대상물의 층마다 설치하되, 해당 특정소방대상물의 각 부분으로부터 하나의 음향장치까지의 수평거리가 25[m] 이하가 되도록 하고, 해당 층의 각 부분에 유효하게 경보를 발할 수 있도록 설치할 것. 다만, 비상방송설비의 화재안전기준에 적합한 방송설비를 자동화재탐지설비의 감지기와 연동하여 작동하도록 설치한 경우에는 지구음향장치를 설치하지 아니할 수 있다.
- 음향장치는 다음의 기준에 따른 구조 및 성능의 것으로 하여야 한다.
  - 정격전압의 80[%] 전압에서 음향을 발할 수 있는 것으로 할 것. 다만, 건전지를 주전원으로 사용하는 음향장치는 그러하지 아니하다.
  - 음량은 부착된 음향장치의 중심으로부터 1[m] 떨어진 위치에서 90[dB] 이상이 되는 것으로 할 것
  - 감지기 및 발신기의 작동과 연동하여 작동할 수 있는 것으로 할 것

핵심
예제

10 경종의 형식승인 및 제품검사의 기술기준에 따라 경종은 전원전압이 정격전압의 ± 몇 [%] 범위에서 변동하는 경우 기능에 이상이 생기지 아니하여야 하는가? [21년 1회]

① 5

② 10

③ 20

④ 30

해설 경종의 기능기준

- 경종은 전원전압이 정격전압의 ±20[%] 범위에서 변동하는 경우 기능에 이상이 생기지 아니하여야 한다.
- 정격전압을 인가하는 경우 음압은 무향실 내에서 정위치에 부착된 경종의 중심으로부터 1[m] 떨어진 위치에서 90[dB] 이상이어야 한다.
- 정격전압을 인가하는 경우 경종의 소비전류는 50[mA] 이하이어야 한다.

11 자동화재탐지설비 및 시각경보장치의 화재안전기준(NFSC 203)에 따른 자동화재탐지설비의 중계기의 시설기준으로 틀린 것은?   [20년 4회]

① 조작 및 점검에 편리하고 화재 및 침수 등의 재해로 인한 피해를 받을 우려가 없는 장소에 설치할 것

② 수신기에서 직접 감지기회로의 도통시험을 행하지 아니하는 것에 있어서는 수신기와 감지기 사이에 설치할 것

③ 감지기에 따라 감시되지 아니하는 배선을 통하여 전력을 공급받는 것에 있어서는 전원 입력측의 배선에 누전경보기를 설치할 것

④ 수신기에 따라 감시되지 아니하는 배선을 통하여 전력을 공급받는 것에 있어서는 해당 전원의 정전이 즉시 수신기에 표시되는 것으로 할 것

해설 **중계기의 설치기준**
- 수신기에서 직접 감지기회로의 도통시험을 행하지 아니하는 것에 있어서는 수신기와 감지기 사이에 설치할 것
- 수신기에 의하여 감시되지 아니하는 배선을 통하여 전력을 공급받는 것에 있어서는 전원입력측의 배선에 과전류차단기를 설치하고 해당 전원의 정전이 즉시 수신기에 표시되는 것으로 하며, 상용전원 및 예비전원의 시험을 할 수 있도록 할 것
- 조작 및 점검에 편리하고 화재 및 침수 등의 재해로 인한 피해를 받을 우려가 없는 장소에 설치할 것

핵심
예제

12 자동화재탐지설비 중계기에 예비전원을 사용하는 경우 구조 및 기능 기준 중 다음 (   ) 안에 알맞은 것은?   [17년 2회]

축전지의 충전시험 및 방전시험은 방전종지전압을 기준하여 시작한다. 이 경우 방전종지전압이라 함은 원통형니켈카드뮴축전지는 셀당 (㉠)[V]의 상태를, 무보수밀폐형연축전지를 단전지당 (㉡)[V]의 상태를 말한다.

① ㉠ 1.0, ㉡ 1.5
② ㉠ 1.0, ㉡ 1.75
③ ㉠ 1.6, ㉡ 1.5
④ ㉠ 1.6, ㉡ 1.75

해설 축전지의 충전시험 및 방전시험은 방전종지전압을 기준하여 시작한다. 이 경우 방전종지전압이라 함은 원통형니켈카드뮴축전지는 셀당 1.0[V]의 상태를, 무보수밀폐형연축전지는 단전지당 1.75[V]의 상태를 말한다.

제**3**절 자동화재속보설비

1 용어 정의

① 자동화재속보설비 : 자동화재탐지설비와 연동으로 작동하여 자동 또는 수동으로 화재발생을 신속하게 소방관서에 통보하여 주는 설비이다.
② 화재속보설비 : 자동 또는 수동으로 화재의 발생을 소방관서에 통보하는 설비를 말한다.
③ 자동화재속보설비의 속보기(속보기) : 수동작동 및 자동화재탐지설비 수신기의 화재신호와 연동으로 작동하여 관계인에게 화재발생을 경보함과 동시에 소방관서에 자동적으로 통신망을 통한 당해 화재발생 및 당해 소방대상물의 위치 등을 음성으로 통보하여 주는 것을 말한다.
④ 문화재용 자동화재속보설비의 속보기 : 속보기에 감지기를 직접 연결(자동화재탐지설비 1개의 경계구역에 한한다)하는 방식의 것을 말한다.

2 설치대상

조 건	설치대상
바닥면적 1,500[m²] 이상	• 공장, 창고 • 국방ㆍ군사시설 • 업무시설 • 발전시설(무인경비시스템)
바닥면적 500[m²] 이상	• 노유자시설 • 정신병원, 의료재활시설 • 수련시설(숙박시설 있는 곳)
국보, 보물	목조건축물
전 부	• 노유자생활시설 • 요양병원(정신병원, 의료재활시설제외) • 30층 이상 • 전통시장 • 근린생활시설 중 의원, 치과의원, 한의원으로서 입원실이 있는 시설

3 자동화재속보설비 설치기준

① 자동화재탐지설비와 연동으로 작동하여 자동적으로 화재발생 상황을 소방관서에 전달되는 것으로 할 것. 이 경우 부가적으로 특정소방대상물의 관계인에게 화재발생상황이 전달되도록 할 수 있다.

② 조작스위치는 바닥으로부터 0.8[m] 이상 1.5[m] 이하의 높이에 설치할 것

③ 속보기는 소방관서에 통신망으로 통보하도록 하며, 데이터 또는 코드전송방식을 부가적으로 설치할 수 있다.

④ 문화재에 설치하는 자동화재속보설비는 속보기에 감지기를 직접 연결하는 방식(자동화재탐지설비 1개의 경계구역에 한한다)으로 할 수 있다.

⑤ 속보기는 소방청장이 정하여 고시한 「자동화재속보설비의 속보기의 성능인증 및 제품검사의 기술기준」에 적합한 것으로 설치하여야 한다.

4 자동화재속보설비의 속보기의 성능시험기술기준

(1) 속보기의 구조

① 부식에 의하여 기계적 기능에 영향을 초래할 우려가 있는 부분은 칠, 도금 등으로 기계적 내식가공을 하거나 방청가공을 하여야 하며, 전기적 기능에 영향이 있는 단자 등은 동합금이나 동등 이상의 내식성능이 있는 재질을 사용하여야 한다.

② 외부에서 쉽게 사람이 접촉할 우려가 있는 충전부는 충분히 보호되어야 하며 정격전압이 60[V]를 넘고 금속제 외함을 사용하는 경우에는 외함에 접지단자를 설치하여야 한다.

③ 극성이 있는 배선을 접속하는 경우에는 오접속 방지를 위한 필요한 조치를 하여야 하며, 커넥터로 접속하는 방식은 구조적으로 오접속이 되지 않는 형태이어야 한다.

④ 내부에는 예비전원(알칼리계 또는 리튬계 2차축전지, 무보수밀폐형축전지)을 설치하여야 하며 예비전원의 인출선 또는 접속단자는 오접속을 방지하기 위하여 적당한 색상으로 극성을 구분할 수 있도록 하여야 한다.

⑤ 예비전원회로에는 단락사고 등을 방지하기 위한 퓨즈, 차단기 등과 같은 보호장치를 하여야 한다.

⑥ 전면에는 주전원 및 예비전원의 상태를 표시할 수 있는 장치와 작동 시 작동여부를 표시하는 장치를 하여야 한다.

⑦ 화재표시 복구스위치 및 음향장치의 울림을 정지시킬 수 있는 스위치를 설치하여야 한다.

⑧ 작동 시 그 작동시간과 작동횟수를 표시할 수 있는 장치를 하여야 한다.

⑨ 수동통화용 송수화장치를 설치하여야 한다.

⑩ 표시등에 전구를 사용하는 경우에는 2개를 병렬로 설치하여야 한다. 다만, 발광다이오드의 경우에는 그러하지 아니하다.

⑪ 속보기는 다음의 회로방식을 사용하지 아니하여야 한다.

   ㉠ 접지전극에 직류전류를 통하는 회로방식

   ㉡ 수신기에 접속되는 외부배선과 다른 설비(화재신호의 전달에 영향을 미치지 아니하는 것은 제외한다)의 외부배선을 공용으로 하는 회로방식

⑫ 속보기의 기능에 유해한 영향을 미치는 부속장치는 설치하지 아니하여야 한다.

⑬ 속보기 외함 두께

   ㉠ 강판 : 1.2[mm] 이상

   ㉡ 합성수지 : 3[mm] 이상

(2) 속보기의 기능

① 작동신호를 수신하거나 수동으로 동작시키는 경우 20초 이내에 소방관서에 자동적으로 신호를 발하여 통보하되, 3회 이상 속보할 수 있어야 한다.

② 주전원이 정지한 경우에는 자동적으로 예비전원으로 전환되고, 주전원이 정상상태로 복귀한 경우에는 자동적으로 예비전원에서 주전원으로 전환되어야 한다.

③ 예비전원은 자동적으로 충전되어야 하며 자동 과충전방지장치가 있어야 한다.

④ 화재신호를 수신하거나 속보기를 수동으로 동작시키는 경우 자동적으로 적색 화재표시등이 점등되고 음향장치로 화재를 경보하여야 하며 화재표시 및 경보는 수동으로 복구 및 정지시키지 않는 한 지속되어야 한다.

⑤ 연동 또는 수동으로 소방관서에 화재발생 음성정보를 속보 중인 경우에도 송수화장치를 이용한 통화가 우선적으로 가능하여야 한다.

⑥ 예비전원을 병렬로 접속하는 경우에는 역충전 방지 등의 조치를 하여야 한다.

⑦ 예비전원은 감시상태를 60분간 지속한 후 10분 이상 동작(화재속보 후 화재 표시 및 경보를 10분간 유지하는 것을 말한다)이 지속될 수 있는 용량이어야 한다.

⑧ 속보기는 연동 또는 수동 작동에 의한 다이얼링 후 소방관서와 전화접속이 이루어지지 않는 경우에는 최초 다이얼링을 포함하여 10회 이상 반복적으로 접속을 위한 다이얼링이 이루어져야 한다. 이 경우 매 회 다이얼링 완료 후 호출은 30초 이상 지속되어야 한다.

⑨ 속보기의 송수화장치가 정상위치가 아닌 경우에도 연동 또는 수동으로 속보가 가능하여야 한다.

⑩ 음성으로 통보되는 속보내용을 통하여 당해 소방대상물의 위치, 화재발생 및 속보기에 의한 신고임을 확인할 수 있어야 한다.

⑪ 속보기는 음성속보방식 외에 데이터 또는 코드전송방식 등을 이용한 속보기능을 부가로 설치할 수 있다.

(3) 주위온도시험

속보기는 (−10±2)[℃] 및 (50±2)[℃]에서 각각 12시간 이상 방치한 후 1시간 이상 실온에서 방치한 다음 기능시험을 실시하는 경우 기능에 이상이 없을 것

(4) 반복시험

속보기는 정격전압에서 1,000회의 화재작동을 반복 실시하는 경우 그 구조 또는 기능에 이상이 생기지 아니하여야 한다.

(5) 절연저항시험

① 절연된 충전부와 외함 간 : 직류 500[V] 절연저항계로 5[MΩ] 이상
② 교류입력 측과 외함 간 : 직류 500[V] 절연저항계로 20[MΩ] 이상
③ 절연된 선로 간 : 직류 500[V] 절연저항계로 20[MΩ] 이상

5 속보기 보안장치 단선 결선도

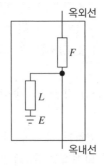

F : 차단기(개폐기)
L : 피뢰기
E : 접지
※ 피뢰기(L)는 차단기(F) 후단에 설치

6 예비전원

(1) 상온 충방전시험

① 알칼리계 2차축전지는 방전종지전압 상태의 축전지를 상온에서 정격충전전압 및 1/20[C]의 전류로 48시간 충전한 후 1[C]의 전류로 방전하는 경우 48분 이상 지속 방전되어야 한다. 이 경우 축전지는 부풀어 오르거나 누액 발생 등 이상이 생기지 아니하여야 한다.

② 리튬계 2차축전지는 방전종지전압 상태의 축전지를 상온에서 정격충전전압 및 1/5[C]의 정전류로 6시간 충전한 후 1[C]의 전류로 방전하는 경우 55분 이상 지속적으로 방전되어야 한다. 이 경우 축전지는 부풀어 오르거나 누액 발생 등 이상이 생기지 아니하여야 한다.

③ 무보수 밀폐형 연축전지는 방전종지전압 상태의 축전지를 상온에서 정격충전전압 및 0.1[C]의 전류로 48시간 충전한 후 1[C]의 전류로 방전시키는 경우 45분 이상 지속 방전되어야 한다. 이 경우 축전지는 부풀어 오르거나 누액 발생 등 이상이 생기지 아니하여야 한다.

(2) 주위온도 충방전시험

① 알칼리계 2차축전지는 방전종지전압 상태의 축전지를 주위온도 (−10±2)[℃] 및 (50±2)[℃]의 조건에서 1/20[C]의 전류로 48시간 충전한 다음 1[C]로 방전하는 충·방전을 3회 반복하는 경우 방전종지전압이 되는 시간이 25분 이상이어야 하며, 외관이 부풀어 오르거나 누액 등이 생기지 아니하여야 한다.

② 리튬계 2차축전지는 방전종지전압 상태의 축전지를 주위온도 (−10±2)[℃] 및 (50±2)[℃]의 조건에서 정격충전전압 및 1/5[C]의 정전류로 6시간 충전한 다음 1[C]의 전류로 방전하는 충·방전을 3회 반복하는 경우 방전종지전압이 되는 시간이 40분 이상이어야 하며, 외관이 부풀어 오르거나 누액 등이 생기지 아니하여야 한다.

③ 무보수 밀폐형 연축전지는 방전종지전압 상태에서 0.1[C]로 48시간 충전한 다음 1시간 방치하여 0.05[C]로 방전시킬 때 정격용량의 95[%] 용량을 지속하는 시간이 30분 이상이어야 하며, 외관이 부풀어 오르거나 누액 등이 생기지 아니하여야 한다.

(3) 안전장치시험

예비전원은 1/5[C] 이상 1[C] 이하의 전류로 역충전하는 경우 5시간 이내에 안전장치가 작동하여야 하며, 외관이 부풀어 오르거나 누액 등이 생기지 아니하여야 한다.

(4) 제품시험에 합격한 예비전원을 사용하는 경우에는 (1) 내지 (2)의 시험을 생략할 수 있다.

01 자동화재속보설비를 설치하여야 하는 특정소방대상물의 기준 중 다음 (   ) 안에 알맞은 것은? [17년 4회]

> 의료시설 중 요양병원으로서 정신병원과 의료재활시설로 사용되는 바닥면적의 합계가 (   )
> [m²] 이상인 층이 있는 것

① 300   ② 500
③ 1,000   ④ 1,500

해설 설치대상

조 건	설치대상
바닥면적 1,500[m²] 이상	• 공장, 창고 • 국방 · 군사시설 • 업무시설 • 발전시설(무인경비시스템)
바닥면적 500[m²] 이상	• 노유자시설 • 정신병원, 의료재활시설 • 수련시설(숙박시설 있는 곳)
국보, 보물	목조건축물
전 부	• 노유자생활시설 • 요양병원(정신병원, 의료재활시설은 제외) • 30층 이상 • 전통시장 • 근린생활시설 중 의원, 치과의원, 한의원으로서 입원실이 있는 시설

02 자동화재속보설비를 설치하여야 하는 특정소방대상물의 기준 중 틀린 것은?(단, 사람이 24 시간 상시 근무하고 있는 경우는 제외한다) [18년 4회]

① 판매시설 중 전통시장
② 지하가 중 터널로서 길이가 1,000[m] 이상인 것
③ 수련시설(숙박시설이 있는 건축물만 해당)로서 바닥면적이 500[m²] 이상인 층이 있는 것
④ 업무시설, 공장, 창고시설, 교정 및 군사시설 중 국방 · 군사시설, 발전시설(사람이 근무하지 않는 시간에는 무인경비시스템으로 관리하는 시설만 해당)로서 바닥면적이 1,500[m²] 이상인 층이 있는 것

해설 1번 해설 참조

03 자동화재속보설비의 속보기의 성능인증 및 제품검사의 기술기준에 따른 속보기의 구조에 대한 설명으로 틀린 것은? [21년 1회]

① 수동통화용 송수화장치를 설치하여야 한다.
② 접지전극에 직류전류를 통하는 회로방식을 사용하여야 한다.
③ 작동 시 그 작동시간과 작동횟수를 표시할 수 있는 장치를 하여야 한다.
④ 예비전원회로에는 단락사고 등을 방지하기 위한 퓨즈, 차단기 등과 같은 보호장치를 하여야 한다.

> 해설 **속보기에 사용하지 않는 회로방식**
> • 접지전극에 직류전류를 통하는 회로방식
> • 수신기에 접속되는 외부배선과 다른 설비(화재신호의 전달에 영향을 미치지 아니하는 것은 제외)의 외부배선을 공용으로 하는 회로방식

핵심 예제

04 자동화재속보설비의 속보기의 성능인증 및 제품검사의 기술기준에 따라 자동화재속보설비의 속보기의 외함에 합성수지를 사용할 경우 외함의 최소 두께[mm]는? [19년 1회]

① 1.2
② 3
③ 6.4
④ 7

> 해설 **자동화재속보설비 속보기 외함의 두께**
> • 강판 외함 : 1.2[mm] 이상
> • 합성수지 외함 : 3[mm] 이상

안심Touch

05 자동화재속보설비의 속보기의 성능인증 및 제품검사의 기술기준에 따른 자동화재속보설비의 속보기에 대한 설명이다. 다음 (   )의 ㉠, ㉡에 들어갈 내용으로 옳은 것은?

> 작동신호를 수신하거나 수동으로 동작시키는 경우 (㉠)초 이내에 소방관서에 자동적으로 신호를 발하여 통보하되, (㉡)회 이상 속보할 수 있어야 한다.

① ㉠ : 20, ㉡ : 3
② ㉠ : 20, ㉡ : 4
③ ㉠ : 30, ㉡ : 3
④ ㉠ : 30, ㉡ : 4

해설 **자동화재속보설비 속보기의 기능**
- 작동신호를 수신하거나 수동으로 동작시키는 경우 20초 이내에 소방관서에 자동적으로 신호를 발하여 통보하되, 3회 이상 속보할 수 있어야 한다.
- 주전원이 정지한 경우에는 자동적으로 예비전원으로 전환되고, 주전원이 정상상태로 복귀한 경우에는 자동적으로 예비전원에서 주전원으로 전환되어야 한다.
- 예비전원은 자동적으로 충전되어야 하며 자동 과충전방지장치가 있어야 한다.
- 화재신호를 수신하거나 속보기를 수동으로 동작시키는 경우 자동적으로 적색 화재표시등이 점등되고 음향장치로 화재를 경보하여야 하며 화재표시 및 경보는 수동으로 복구 및 정지시키지 않는 한 지속되어야 한다.
- 연동 또는 수동으로 소방관서에 화재발생 음성정보를 속보 중인 경우에도 송수화장치를 이용한 통화가 우선적으로 가능하여야 한다.
- 예비전원을 병렬로 접속하는 경우에는 역충전 방지 등의 조치를 하여야 한다.
- 예비전원은 감시상태를 60분간 지속한 후 10분 이상 동작(화재속보 후 화재 표시 및 경보를 10분간 유지하는 것을 말한다)이 지속될 수 있는 용량이어야 한다.
- 속보기는 연동 또는 수동 작동에 의한 다이얼링 후 소방관서와 전화접속이 이루어지지 않는 경우에는 최초 다이얼링을 포함하여 10회 이상 반복적으로 접속을 위한 다이얼링이 이루어져야 한다. 이 경우 매 회 다이얼링 완료 후 호출은 30초 이상 지속되어야 한다.
- 속보기의 송수화장치가 정상위치가 아닌 경우에도 연동 또는 수동으로 속보가 가능하여야 한다.
- 음성으로 통보되는 속보내용을 통하여 당해 소방대상물의 위치, 화재발생 및 속보기에 의한 신고임을 확인할 수 있어야 한다.
- 속보기는 음성속보방식 외에 데이터 또는 코드전송방식 등을 이용한 속보기능을 부가로 설치할 수 있다.

06 자동화재속보설비 속보기의 기능에 대한 기준 중 틀린 것은? [18년 1회]

① 작동신호를 수신하거나 수동으로 동작시키는 경우 30초 이내에 소방관서에 자동적으로 신호를 발하여 통보하되, 3회 이상 속보할 수 있어야 한다.

② 예비전원을 병렬로 접속하는 경우에는 역충전 방지 등의 조치를 하여야 한다.

③ 연동 또는 수동으로 소방관서에 화재발생 음성정보를 속보중인 경우에도 송수화장치를 이용한 통화가 우선적으로 가능하여야 한다.

④ 속보기의 송수화장치가 정상위치가 아닌 경우에도 연동 또는 수동으로 속보가 가능하여야 한다.

해설   5번 해설 참조

07 자동화재속보설비의 속보기의 성능인증 및 제품검사의 기술기준에서 정하는 데이터 및 코드전송방식 신고부분 프로토콜 정의서에 대한 내용이다. 다음의 (　)에 들어갈 내용으로 옳은 것은? [21년 2회]

> 119서버로부터 처리결과 메시지를 (㉠)초 이내 수신 받지 못할 경우에는 (㉡)회 이상 재전송 할 수 있어야 한다.

① ㉠ 10, ㉡ 5

② ㉠ 10, ㉡ 10

③ ㉠ 20, ㉡ 10

④ ㉠ 20, ㉡ 20

해설   5번 해설 참조

08 자동화재속보설비 속보기의 기능 기준 중 옳은 것은? [17년 2회]

① 작동신호를 수신하거나 수동으로 동작시키는 경우 10초 이내에 소방관서에 자동적으로 신호를 발하여 통보하되, 3회 이상 속보할 수 있어야 한다.

② 예비전원을 병렬로 접속하는 경우에는 역충전 방지 등의 조치를 하여야 한다.

③ 예비전원은 감시상태를 30분간 지속한 후 10분 이상 동작이 지속될 수 있는 용량이어야 한다.

④ 속보기는 연동 또는 수동 작동에 의한 다이얼링 후 소방관서와 전화접속이 이루어지지 않는 경우에는 최초 다이얼링을 포함하여 20회 이상 반복적으로 접속을 위한 다이얼링이 이루어야 한다. 이 경우 매회 다이얼링 완료 후 호출은 30초 이상 지속되어야 한다.

해설 5번 해설 참조

09 자동화재속보설비의 속보기는 연동 또는 수동 작동에 의한 다이얼링 후 소방관서와 전화접속이 이루어지지 않는 경우에는 최초 다이얼링을 포함하여 몇 회 이상 반복적으로 접속을 위한 다이얼링이 이루어져야 하는가?(단, 이 경우 매회 다이얼링 완료 후 호출은 30초 이상 지속한다) [17년 1회]

① 3회 ② 5회
③ 10회 ④ 20회

해설 5번 해설 참조

10 자동화재속보설비의 속보기의 성능인증 및 제품검사의 기술기준에 따라 자동화재속보설비의 속보기가 소방관서에 자동적으로 통신망을 통해 통보하는 신호의 내용으로 옳은 것은?
[20년 4회]

① 당해 소방대상물의 위치 및 규모
② 당해 소방대상물의 위치 및 용도
③ 당해 화재발생 및 당해 소방대상물의 위치
④ 당해 고장발생 및 당해 소방대상물의 위치

해설 5번 해설 참조

11 **자동화재속보설비의 설치기준으로 틀린 것은?** [19년 1회, 2회]

① 조작스위치는 바닥으로부터 1[m] 이상 1.5[m] 이하의 높이에 설치할 것

② 속보기는 소방관서에 통신망으로 통보하도록 하며, 데이터 또는 코드전송방식을 부가적으로 설치할 수 있다.

③ 자동화재탐지설비와 연동으로 작동하여 자동적으로 화재발생 상황을 소방관서에 전달되는 것으로 할 것

④ 속보기는 소방청장이 정하여 고시한 자동화재속보설비의 속보기의 성능인증 및 제품검사의 기술기준에 적합한 것으로 설치하여야 한다.

해설 **자동화재속보설비 설치기준**
- 자동화재탐지설비와 연동으로 작동하여 자동적으로 화재발생 상황을 소방관서에 전달되는 것으로 할 것. 이 경우 부가적으로 특정소방대상물의 관계인에게 화재발생상황이 전달되도록 할 수 있다.
- 조작스위치는 바닥으로부터 0.8[m] 이상 1.5[m] 이하의 높이에 설치할 것
- 속보기는 소방관서에 통신망으로 통보하도록 하며, 데이터 또는 코드전송방식을 부가적으로 설치할 수 있다.
- 문화재에 설치하는 자동화재속보설비는 속보기에 감지기를 직접 연결하는 방식(자동화재탐지설비 1개의 경계구역에 한한다)으로 할 수 있다.
- 속보기는 소방청장이 정하여 고시한 「자동화재속보설비의 속보기의 성능인증 및 제품검사의 기술기준」에 적합한 것으로 설치하여야 한다.

핵심
예제

12 **자동화재속보설비 속보기 예비전원의 주위온도 충방전시험 기준 중 다음 (   ) 안에 알맞은 것은?** [18년 2회]

무보수 밀폐형 연축전지는 방전종지전압 상태에서 0.1[C]로 48시간 충전한 다음 1시간 방치 후 0.05[C]로 방전시킬 때 정격용량의 95[%] 용량을 지속하는 시간이 (   )분 이상이어야 하며, 외관이 부풀어 오르거나 누액 등이 생기지 아니하여야 한다.

① 10   ② 25

③ 30   ④ 40

해설 무보수 밀폐형 연축전지는 방전종지전압 상태에서 0.1[C]로 48시간 충전한 다음 1시간 방치하여 0.05[C]로 방전시킬 때 정격용량의 95[%] 용량을 지속하는 시간이 30분 이상이어야 하며, 외관이 부풀어 오르거나 누액 등이 생기지 아니하여야 한다.

안심Touch

비상방송설비, 비상경보설비 및 단독 경보형 감지기

1 비상방송설비

(1) 비상방송설비 설치기준

① 음향장치

    ㉠ 확성기(스피커)의 음성입력은 3[W](실내에 설치하는 것에 있어서는 1[W]) 이상일 것

    ㉡ 확성기는 각 층마다 설치하되, 그 층의 각 부분으로부터 하나의 확성기까지의 수평거리가 25[m] 이하가 되도록 하고, 해당 층의 각 부분에 유효하게 경보를 발할 수 있도록 설치할 것

    ㉢ 음량조정기(가변저항을 이용하여 전류를 변화시켜 음량을 조절)를 설치하는 경우 음량조정기의 배선은 3선식으로 할 것

    ㉣ 조작부의 조작스위치는 바닥으로부터 0.8[m] 이상 1.5[m] 이하의 높이에 설치할 것

    ㉤ 조작부는 기동장치의 작동과 연동하여 해당 기동장치가 작동한 층 또는 구역을 표시할 수 있는 것으로 할 것

    ㉥ 증폭기(전압전류 진폭을 늘려 감도를 좋게, 크게 하는 장치) 및 조작부는 수위실 등 상시 사람이 근무하는 장소로서 점검이 편리하고 방화상 유효한 곳에 설치할 것

    ㉦ 층수가 5층 이상으로서 연면적이 3,000[m²]를 초과하는 특정소방대상물은 다음에 따라 경보를 발할 수 있도록 하여야 한다.

        ⓐ 2층 이상의 층에서 발화한 때에는 발화층 및 그 직상층에 경보를 발할 것

        ⓑ 1층에서 발화한 때에는 발화층·그 직상층 및 지하층에 경보를 발할 것

        ⓒ 지하층에서 발화한 때에는 발화층·그 직상층 및 기타의 지하층에 경보를 발할 것

    ㉧ 다른 방송설비와 공용하는 것에 있어서는 화재 시 비상경보 외의 방송을 차단할 수 있는 구조로 할 것

    ㉨ 다른 전기회로에 따라 유도장애가 생기지 아니하도록 할 것

    ㉩ 하나의 특정소방대상물에 2 이상의 조작부가 설치되어 있는 때에는 각각의 조작부가 있는 장소 상호 간에 동시 통화가 가능한 설비를 설치하고, 어느 조작부에서도 해당 특정소방대상물의 전 구역에 방송을 할 수 있도록 할 것

    ㉪ 기동장치에 따른 화재신고를 수신한 후 필요한 음량으로 화재발생 상황 및 피난에 유효한 방송이 자동으로 개시될 때까지의 소요시간은 10초 이하로 할 것

    ㉫ 음향장치는 다음의 기준에 따른 구조 및 성능의 것으로 하여야 한다.

        ⓐ 정격전압의 80[%] 전압에서 음향을 발할 수 있는 것을 할 것

        ⓑ 자동화재탐지설비의 작동과 연동하여 작동할 수 있는 것으로 할 것

② 비상방송설비를 설치하여야 하는 특정소방대상물
  ㉠ 연면적 3,500[m²] 이상인 것
  ㉡ 지하층을 제외한 층수가 11층 이상인 것
  ㉢ 지하층의 층수가 3층 이상인 것

(2) 비상방송설비의 계통도

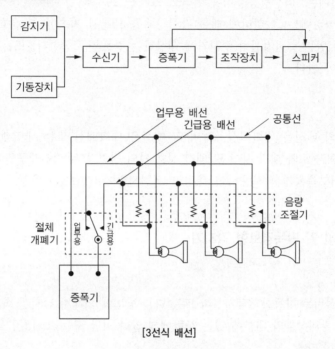

[3선식 배선]

(3) 작동순서

① 기동장치 및 감지기에서 화재신호를 수신
② 수신기에서 벨, 버저가 울리고 적색 표시등이 점등
③ 발화층과 직상층의 스위치 투입
④ 방송할 필요가 있는 층의 층별 표시등의 점등을 확인
⑤ 마이크로폰이나 테이프 레코더를 사용하여 작동

(4) 전 원

① 비상방송설비의 상용전원은 다음의 기준에 따라 설치하여야 한다.
  ㉠ 전원은 전기가 정상적으로 공급되는 축전지, 전기저장장치(외부 전기에너지를 저장해 두었다가 필요한 때 전기를 공급하는 장치) 또는 교류전압의 옥내 간선으로 하고, 전원까지의 배선은 전용으로 할 것
  ㉡ 개폐기에는 "비상방송설비용"이라고 표시한 표지를 할 것
② 비상방송설비에는 그 설비에 대한 감시상태를 60분간 지속한 후 유효하게 10분 이상 경보할 수 있는 축전지설비(수신기에 내장하는 경우를 포함한다) 또는 전기저장장치를 설치하여야 한다.

(5) 배 선

① 전원회로의 배선은 내화배선, 그 밖의 배선은 내화배선 또는 내열배선
② 부속회로의 전로와 대지 사이 및 배선 상호 간의 절연저항은 1경계구역마다 직류 250[V]의 절연저항측정기를 사용하여 측정한 절연저항이 0.1[MΩ] 이상

2 비상경보설비 및 단독경보형 감지기

(1) 개 요

① 비상경보설비는 자동화재탐지설비 또는 다른 방법에 의해서 감지된 화재발생을 신속하게 특정소방대상물의 내부에 있는 사람에게 알려 피난 또는 초기진압을 용이하게 하기 위한 설비이다.
② 비상경보설비 구성요소 : 전원, 경종, 기동장치, 위치표시등

(2) 종 류

① 비상벨설비 : 화재발생 상황을 경종(벨)으로 경보하는 설비
② 자동식 사이렌설비 : 화재발생 상황을 사이렌으로 경보하는 설비
③ 단독경보형 감지기 : 화재발생 상황을 감지기 내에 내장된 음향장치로 경보하는 설비

(3) 비상경보설비를 설치해야 하는 특정소방대상물

① 연면적 400[m²](지하가 중 터널 또는 사람이 거주하지 않거나 벽이 없는 축사 등 동식물 관련 시설은 제외) 이상이거나 지하층 또는 무창층의 바닥면적이 150[m²](공연장의 경우 100[m²]) 이상인 것
② 지하가 중 터널로서 길이가 500[m] 이상인 것
③ 50명 이상의 근로자가 작업하는 옥내 작업장

(4) 비상경보설비(비상벨, 비상사이렌) 설치기준

화재신호 및 상태신호 등을 송수신하는 방식
- 유선식 : 화재신호 등을 배선으로 송·수신하는 방식의 것
- 무선식 : 화재신호 등을 전파에 의해 송·수신하는 방식의 것
- 유·무선식 : 유선식과 무선식을 겸용으로 사용하는 방식의 것

① 음향장치
  ㉠ 지구음향장치는 특정소방대상물의 층마다 설치하되, 해당 특정소방대상물의 각 부분으로부터 하나의 음향장치까지의 수평거리가 25[m] 이하가 되도록 하고, 해당 층의 각 부분에 유효하게 경보를 발할 수 있도록 설치하여야 한다.
  ㉡ 음향장치는 정격전압의 80[%] 전압에서 음향을 발할 수 있도록 하여야 한다. 다만, 건전지를 주전원으로 사용하는 음향장치는 그러하지 아니하다.
  ㉢ 음향장치의 음량은 부착된 음향장치의 중심으로부터 1[m] 떨어진 위치에서 90[dB] 이상이 되는 것으로 하여야 한다.

② 발신기
  ㉠ 조작이 쉬운 장소에 설치하고, 조작스위치는 바닥으로부터 0.8[m] 이상 1.5[m] 이하의 높이에 설치할 것
  ㉡ 특정소방대상물의 층마다 설치하되, 해당 특정소방대상물의 각 부분으로부터 하나의 발신기까지의 수평거리가 25[m] 이하가 되도록 할 것. 다만, 복도 또는 별도로 구획된 실로서 보행거리가 40[m] 이상일 경우에는 추가로 설치하여야 한다.
  ㉢ 발신기의 위치표시등은 함의 상부에 설치하되, 그 불빛은 부착면으로부터 15° 이상의 범위 안에서 부착지점으로부터 10[m] 이내의 어느 곳에서도 쉽게 식별할 수 있는 적색등으로 할 것

③ 상용전원
  ㉠ 전원은 전기가 정상적으로 공급되는 축전지, 전기저장장치 또는 교류전압의 옥내간선으로 하고, 전원까지의 배선은 전용으로 할 것
  ㉡ 개폐기에는 "비상벨설비 또는 자동식사이렌설비용"이라고 표시한 표지를 할 것

④ 비상전원
  설비에 대한 감시상태를 60분간 지속한 후 유효하게 10분 이상 경보할 수 있는 축전지설비(수신기에 내장하는 경우를 포함한다) 또는 전기저장장치(외부 전기에너지를 저장해 두었다가 필요한 때 전기를 공급하는 장치)를 설치하여야 한다. 다만, 상용전원이 축전지설비인 경우 또는 건전지를 주전원으로 사용하는 무선식 설비인 경우에는 그러하지 아니하다.

※ 비상벨설비 또는 자동식사이렌설비의 배선은 다음의 기준에 따라 설치하여야 한다.

① 전원회로의 배선은 옥내소화전설비의 화재안전기준에 따른 내화배선에 의하고, 그 밖의 배선은 옥내소화전설비의 화재안전기준에 따른 내화배선 또는 내열배선에 따를 것

② 전원회로의 전로와 대지 사이 및 배선 상호 간의 절연저항은 기술기준이 정하는 바에 의하고 부속회로의 전로와 대지 사이 및 배선 상호 간의 절연저항은 1경계구역마다 직류 250[V]의 절연저항측정기를 사용하여 측정한 절연저항이 0.1[MΩ] 이상이 되도록 할 것

③ 배선은 다른 전선과 별도의 관·덕트·몰드 또는 풀박스 등에 설치할 것. 다만, 60[V] 미만의 약전류회로에 사용하는 전선으로서 각각의 전압이 같을 때에는 그러하지 아니하다.

※ 전원전압변동 시 축전지설비는 전원에 정격전압의 90[%] 및 110[%]의 전압을 인가하는 경우 정상적인 기능을 발휘하여야 한다.

(5) 단독경보형 감지기

① 설치대상

㉠ 연면적 1,000[m²] 미만의 아파트 등

㉡ 연면적 1,000[m²] 미만의 기숙사

㉢ 교육연구시설 또는 수련시설 내에 있는 합숙소 또는 기숙사로서 연면적 2,000[m²] 미만인 것

㉣ 연면적 600[m²] 미만의 숙박시설

㉤ 수련시설(숙박시설이 있는 것만 해당한다)

㉥ 연면적 400[m²] 미만의 유치원

② 설치기준

㉠ 각 실(이웃하는 실내의 바닥면적이 각각 30[m²] 미만이고 벽체의 상부의 부분 또는 일부가 개방되어 이웃하는 실내와 공기가 상호 유통되는 경우에는 이를 1개의 실로 본다)마다 설치하되, 바닥면적이 150[m²]를 초과하는 경우에는 150[m²]마다 1개 이상 설치할 것

계산) 감지기의 수량 = $\dfrac{\text{바닥면적}[m^2]}{150[m^2]}$(소수점 이하 절상)

㉡ 최상층의 계단실의 천장(외기가 상통하는 계단실의 경우를 제외)에 설치할 것

㉢ 건전지를 주전원으로 사용하는 단독경보형 감지기는 정상적인 작동 상태를 유지할 수 있도록 건전지를 교환할 것

③ 단독경보형 감지기의 일반기능

　㉠ 자동복귀형 스위치(자동적으로 정위치에 복귀될 수 있는 스위치를 말한다)에 의하여 수동으로 작동시험을 할 수 있는 기능이 있어야 한다(스위치에 의해 화재경보 정지 시 15분 후 정지기능이 자동적으로 해제되어야 한다).

　㉡ 작동되는 경우 작동표시등에 의하여 화재의 발생을 표시하고, 내장된 음향장치의 명동에 의하여 화재경보음을 발할 수 있는 기능이 있어야 한다.

　㉢ 주기적으로 섬광하는 전원표시등에 의하여 전원의 정상 여부를 감시할 수 있는 기능이 있어야 하며, 전원의 정상상태를 표시하는 전원표시등의 섬광주기는 1초 이내의 점등과 30초에서 60초 이내의 소등으로 이루어져야 한다.

　㉣ 화재경보음은 감지기로부터 1[m] 떨어진 위치에서 85[dB] 이상으로 10분 이상 계속하여 경보할 수 있어야 한다.

　㉤ 건전지를 주전원으로 하는 감지기는 건전지의 성능이 저하되어 건전지의 교체가 필요한 경우에는 음성안내를 포함한 음향 및 표시등에 의하여 72시간 이상 경보할 수 있어야 한다. 이 경우 음향경보는 1[m] 떨어진 거리에서 70[dB](음성안내는 60[dB]) 이상이어야 한다.

01 비상방송설비의 화재안전기준에 따른 비상방송설비의 음향장치에 대한 내용이다. 다음
( )에 들어갈 내용으로 옳은 것은? [21년 1회]

> 확성기는 각 층마다 설치하되, 그 층의 각 부분으로부터 하나의 확성기까지의 수평거리가
> ( )[m] 이하가 되도록 하고, 해당 층의 각 부분에 유효하게 경보를 발할 수 있도록
> 설치할 것

① 10 ② 15
③ 20 ④ 25

해설 음향장치
• 확성기(스피커)의 음성입력은 3[W](실내에 설치하는 것에 있어서는 1[W]) 이상일 것
• 확성기는 각 층마다 설치하되, 그 층의 각 부분으로부터 하나의 확성기까지의 수평거리가 25[m]
  이하가 되도록 하고, 해당 층의 각 부분에 유효하게 경보를 발할 수 있도록 설치할 것
• 음량조정기(가변저항을 이용하여 전류를 변화시켜 음량을 조절)를 설치하는 경우 음량조정기의 배선
  은 3선식으로 할 것
• 조작부의 조작스위치는 바닥으로부터 0.8[m] 이상 1.5[m] 이하의 높이에 설치할 것

02 비상방송설비 음향장치의 설치기준 중 다음 ( ) 안에 알맞은 것은? [18년 4회]

> • 음량조정기를 설치하는 경우 음량조정기의 배선은 (㉠)선식으로 할 것
> • 확성기는 각층마다 설치하되, 그 층의 각 부분으로부터 하나의 확성기까지의 수평거리가
>   (㉡)[m] 이하가 되도록 하고, 해당 층의 각 부분에 유효하게 경보를 발할 수 있도록
>   설치할 것

① ㉠ 2, ㉡ 15
② ㉠ 2, ㉡ 25
③ ㉠ 3, ㉡ 15
④ ㉠ 3, ㉡ 25

해설 1번 해설 참조

www.sdedu.co.kr

03 비상방송설비의 화재안전기준(NFSC 202)에 따른 정의에서 가변저항을 이용하여 전류를 변화시켜 음량을 크게 하거나 작게 조절할 수 있는 장치를 말하는 것은? [20년 11회]

① 증폭기
② 변류기
③ 중계기
④ 음량조절기

해설 1번 해설 참조

04 비상방송설비의 화재안전기준(NFSC 202)에 따른 용어의 정의에서 소리를 크게 하여 멀리까지 전달될 수 있도록 하는 장치로서 일명 "스피커"를 말하는 것은? [20년 3회]

① 확성기
② 증폭기
③ 사이렌
④ 음량조절기

해설 1번 해설 참조

핵심
예제

05 비상방송설비 음향장치에 대한 설치기준으로 옳은 것은? [19년 2회]

① 다른 전기회로에 따라 유도장애가 생기지 않도록 한다.
② 음량조정기를 설치하는 경우 음량조정기의 배선은 2선식으로 한다.
③ 다른 방송설비와 공용하는 것에 있어서는 화재 시 비상경보 외의 방송을 차단되는 구조가 아니어야 한다.
④ 기동장치에 따른 화재신고를 수신한 후 필요한 음량으로 화재발생 상황 및 피난에 유효한 방송이 자동으로 개시될 때까지의 소요시간은 60초 이하로 한다.

해설 **비상방송설비 설치기준**
• 다른 방송설비와 공용하는 것에 있어서는 화재 시 비상경보 외의 방송을 차단할 수 있는 구조로 할 것
• 다른 전기회로에 따라 유도장애가 생기지 아니하도록 할 것
• 하나의 특정소방대상물에 2 이상의 조작부가 설치되어 있는 때에는 각각의 조작부가 있는 장소 상호 간에 동시 통화가 가능한 설비를 설치하고, 어느 조작부에서도 해당 특정소방대상물의 전 구역에 방송을 할 수 있도록 할 것
• 기동장치에 따른 화재신고를 수신한 후 필요한 음량으로 화재발생 상황 및 피난에 유효한 방송이 자동으로 개시될 때까지의 소요시간은 10초 이하로 할 것

06 비상방송설비의 화재안전기준(NFSC 202)에 따라 비상방송설비에서 기동장치에 따른 화재 신고를 수신한 후 필요한 음량으로 화재발생 상황 및 피난에 유효한 방송이 자동으로 개시될 때까지의 소요시간은 몇 초 이하로 하여야 하는가? [17년 2회, 4회, 20년 1·2회, 4회, 21년 2회]

① 5   ② 10

③ 15   ④ 20

해설 5번 해설 참조

07 다음 비상경보설비 및 비상방송설비에 사용되는 용어 설명 중 틀린 것은? [19년 2회]

① 비상벨설비라 함은 화재발생 상황을 경종으로 경보하는 설비를 말한다.

② 증폭기라 함은 전압전류의 주파수를 늘려 감도를 좋게 하고 소리를 크게 하는 장치를 말한다.

③ 확성기라 함은 소리를 크게 하여 멀리까지 전달될 수 있도록 하는 장치로서 일명 스피커를 말한다.

④ 음량조절기라 함은 가변저항을 이용하여 전류를 변화시켜 음량을 크게 하거나 작게 조절할 수 있는 장치를 말한다.

해설 증폭기(전압전류 진폭을 늘려 감도를 좋게, 크게 하는 장치) 및 조작부는 수위실 등 상시 사람이 근무하는 장소로서 점검이 편리하고 방화상 유효한 곳에 설치할 것

08 비상방송설비의 음향장치의 설치기준 중 다음 (   ) 안에 알맞은 것으로 연결된 것은?

[17년 1회]

> 층수가 5층 이상으로서 연면적이 3,000[m²]를 초과하는 특정소방대상물의 (㉠) 이상의 층에서 발화한 때에는 발화층 및 그 직상층에, (㉡)에서 발화한 때에는 발화층·그 직상층 및 지하층에, (㉢)에서 발화한 때에는 발화층·그 직상층 및 기타의 지하층에 경보를 발할 것

① ㉠ 2층, ㉡ 1층, ㉢ 지하층
② ㉠ 1층, ㉡ 2층, ㉢ 지하층
③ ㉠ 2층, ㉡ 지하층, ㉢ 1층
④ ㉠ 2층, ㉡ 1층, ㉢ 모든 층

해설 비상방송설비 음향장치 설치기준
층수가 5층 이상으로서 연면적이 3,000[m²]를 초과하는 특정소방대상물은 다음에 따라 경보를 발할 수 있도록 하여야 한다.
- 2층 이상의 층에서 발화한 때에는 발화층 및 그 직상층에 경보를 발할 것
- 1층에서 발화한 때에는 발화층·그 직상층 및 지하층에 경보를 발할 것
- 지하층에서 발화한 때에는 발화층·그 직상층 및 기타의 지하층에 경보를 발할 것

핵심
예제

09 비상방송설비 음향장치 설치기준 중 층수가 5층 이상으로서 연면적 3,000[m²]를 초과하는 특정소방대상물의 1층에서 발화한 때의 경보기준으로 옳은 것은?

[18년 2회]

① 발화층에 경보를 발할 것
② 발화층 및 그 직상층에 경보를 발할 것
③ 발화층·그 직상층 및 기타의 지하층에 경보를 발할 것
④ 발화층·그 직상층 및 지하층에 경보를 발할 것

해설 8번 해설 참조

10 비상방송설비의 음향장치는 정격전압의 몇 [%] 전압에서 음향을 발할 수 있는 것으로 하여야 하는가?

[19년 1회]

① 80

② 90

③ 100

④ 110

해설 음향장치는 다음의 기준에 따른 구조 및 성능의 것으로 하여야 한다.
• 정격전압의 80[%] 전압에서 음향을 발할 수 있는 것을 할 것
• 자동화재탐지설비의 작동과 연동하여 작동할 수 있는 것으로 할 것

11 비상방송설비의 화재안전기준(NFSC 202)에 따른 음향장치의 구조 및 성능에 대한 기준이다. 다음 (　)에 들어갈 내용으로 옳은 것은?

[18년 2회, 4회, 20년 3회]

가. 정격 전압의 (㉠)[%] 전압에서 음향을 발할 수 있는 것을 할 것
나. (㉡)의 작동과 연동하여 작동할 수 있는 것으로 할 것

① ㉠ 65, ㉡ 자동화재탐지설비
② ㉠ 80, ㉡ 자동화재탐지설비
③ ㉠ 65, ㉡ 단독경보형 감지기
④ ㉠ 80, ㉡ 단독경보형 감지기

해설 10번 해설 참조

12 비상방송설비 음향장치의 설치기준 중 옳은 것은?

[18년 1회]

① 확성기는 각층마다 설치하되, 그 층의 각 부분으로부터 하나의 확성기까지의 수평거리가 15[m] 이하가 되도록 하고, 해당 층의 각 부분에 유효하게 경보를 발할 수 있도록 설치할 것

② 층수가 5층 이상으로서 연면적이 3,000[m²]를 초과하는 특정소방대상물의 지하층에서 발화한 때에는 직상층에만 경보를 발할 것

③ 음향장치는 자동화재탐지설비의 작동과 연동하여 작동할 수 있는 것으로 할 것

④ 음향장치는 정격전압의 60[%] 전압에서 음향을 발할 수 있는 것으로 할 것

해설 10번 해설 참조

10 ① 11 ② 12 ③ 정답

13 비상방송설비의 화재안전기준(NFSC 202)에 따라 비상방송설비 음향장치의 정격전압이 220[V]인 경우 최소 몇 [V] 이상에서 음향을 발할 수 있어야 하는가? [19년 1회]

① 165
② 176
③ 187
④ 198

해설 비상방송설비의 음향장치는 정격전압의 80[%] 전압에서 음향을 발할 수 있어야 한다.
$V = 220[\text{V}] \times 0.8 = 176[\text{V}]$

14 특정소방대상물의 비상방송설비 설치의 면제 기준 중 다음 (   ) 안에 알맞은 것은? [18년 1회]

> 비상방송설비를 설치하여야 하는 특정소방대상물에 (   ) 또는 비상경보설비와 같은 수준 이상의 음향을 발하는 장치를 부설한 방송설비를 화재안전기준에 적합하게 설치한 경우에는 그 설비의 유효범위에서 설치가 면제된다.

① 자동화재속보설비
② 시각경보기
③ 단독경보형 감지기
④ 자동화재탐지설비

핵심
예제

해설 비상방송설비를 설치하여야 하는 특정소방대상물에 자동화재탐지설비 또는 비상경보설비와 같은 수준 이상의 음향을 발하는 장치를 부설한 방송설비를 화재안전기준에 적합하게 설치한 경우에는 그 설비의 유효범위에서 설치가 면제된다.

15 비상방송설비를 설치하여야 하는 특정소방대상물의 기준 중 틀린 것은?(단, 위험물 저장 및 처리시설 중 가스시설, 사람이 거주하지 않는 동물 및 식물 관련 시설, 지하가 중 터널, 축사 및 지하구는 제외한다) [17년 1회]

① 연면적 3,500[m²] 이상인 것
② 지하층을 제외한 층수가 11층 이상인 것
③ 지하층의 층수가 3층 이상인 것
④ 50명 이상의 근로자가 작업하는 옥내 작업장

해설 비상방송설비를 설치하여야 하는 특정소방대상물
• 연면적 3,500[m²] 이상인 것
• 지하층을 제외한 층수가 11층 이상인 것
• 지하층의 층수가 3층 이상인 것

16 일반적인 비상방송설비의 계통도이다. 다음의 (   )에 들어갈 내용으로 옳은 것은?

[21년 1회]

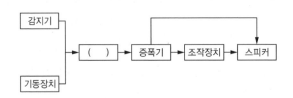

① 변류기
② 발신기
③ 수신기
④ 음향장치

해설 비상방송설비 계통도

17 비상벨설비 또는 자동식사이렌설비에는 그 설비에 대한 감시상태를 몇 시간 지속한 후 유효하게 10분 이상 경보할 수 있는 축전지설비(수신기를 내장하는 경우를 포함한다)를 설치하여야 하는가?

[19년 1회]

① 1시간
② 2시간
③ 4시간
④ 6시간

해설 전 원
• 비상방송설비의 상용전원은 다음의 기준에 따라 설치하여야 한다.
  − 전원은 전기가 정상적으로 공급되는 축전지, 전기저장장치(외부 전기에너지를 저장해 두었다가 필요한 때 전기를 공급하는 장치) 또는 교류전압의 옥내 간선으로 하고, 전원까지의 배선은 전용으로 할 것
  − 개폐기에는 "비상방송설비용"이라고 표시한 표지를 할 것
• 비상방송설비에는 그 설비에 대한 감시상태를 60분간 지속한 후 유효하게 10분 이상 경보할 수 있는 축전지설비(수신기에 내장하는 경우를 포함한다) 또는 전기저장장치를 설치하여야 한다.

16 ③ 17 ① 정답

18 비상방송설비의 화재안전기준(NFSC 202)에 따라 다음 (   )의 ㉠, ㉡에 들어갈 내용으로
옳은 것은? [19년 11회]

> 비상방송설비에는 그 설비에 대한 감시상태를 (㉠)분간 지속한 후 유효하게 (㉡)분 이상
> 경보할 수 있는 축전지설비(수신기에 내장하는 경우를 포함한다)를 설치하여야 한다.

① ㉠ 30, ㉡ 5   ② ㉠ 30, ㉡ 10
③ ㉠ 60, ㉡ 5   ④ ㉠ 60, ㉡ 10

해설 17번 해설 참조

19 비상경보설비 및 단독경보형 감지기의 화재안전기준(NFSC 201)에 따른 비상벨설비 또는
자동식사이렌설비에 대한 설명이다. 다음 (   )의 ㉠, ㉡에 들어갈 내용으로 옳은 것은?
[18년 2회, 20년 1·2회]

> 비상벨설비 또는 자동식사이렌설비에는 그 설비에 대한 감시상태를 (㉠)분간 지속한 후
> 유효하게 (㉡)분 이상 경보할 수 있는 축전지설비(수신기에 내장하는 경우를 포함한다) 또는
> 전기저장장치(외부 전기에너지를 저장해 두었다가 필요한 때 전기를 공급하는 장치)를 설치하
> 여야 한다.

① ㉠ : 30, ㉡ : 10   ② ㉠ : 60, ㉡ : 10
③ ㉠ : 30, ㉡ : 20   ④ ㉠ : 60, ㉡ : 20

해설 17번 해설 참조

핵심
예제

20 비상방송설비의 배선의 설치기준 중 부속회로의 전로와 대지 사이 및 배선 상호 간의 절연
저항은 1경계구역마다 직류 250[V]의 절연저항측정기를 사용하여 측정한 절연저항이 몇
[MΩ] 이상이 되도록 해야 하는가? [17년 11회, 21년 2회]

① 0.1   ② 0.2
③ 10   ④ 20

해설 배 선
• 전원회로의 배선은 내화배선, 그 밖의 배선은 내화배선 또는 내열배선
• 부속회로의 전로와 대지 사이 및 배선 상호 간의 절연저항은 1경계구역마다 직류 250[V]의 절연저항
  측정기를 사용하여 측정한 절연저항이 0.1[MΩ] 이상

안심Touch

21 비상경보설비의 구성요소로 옳은 것은? [20년 1·2회]

① 기동장치, 경종, 화재표시등, 전원
② 전원, 경종, 기동장치, 위치표시등
③ 위치표시등, 경종, 화재표시등, 전원
④ 경종, 기동장치, 화재표시등, 위치표시등

해설 비상경보설비의 구성요소 : 전원, 경종, 기동장치, 위치표시등(화재표시등은 포함되지 않는다)

22 비상경보설비를 설치하여야 할 특정소방대상물의 기준 중 옳은 것은?(단, 지하구·모래·석재 등 불연재료 창고 및 위험물 저장·처리시설 중 가스시설은 제외한다) [17년 4회]

① 지하층 또는 무창층의 바닥면적이 150[m²](공연장의 경우 100[m²]) 이상인 것
② 연면적 500[m²](지하가 중 터널 또는 사람이 거주하지 않거나 벽이 없는 축사 등 동·식물 관련시설은 제외) 이상인 것
③ 30명 이상의 근로자가 작업하는 옥내 작업장
④ 지하가 중 터널로서 길이가 1,000[m] 이상인 것

해설 비상경보설비를 설치하여야 할 특정소방대상물
• 연면적 400[m²](지하가 중 터널 또는 사람이 거주하지 않거나 벽이 없는 축사 등 동·식물 관련시설은 제외) 이상이거나 지하층 또는 무창층의 바닥면적이 150[m²](공연장의 경우 100[m²]) 이상인 것
• 지하가 중 터널로서 길이가 500[m] 이상인 것
• 50명 이상의 근로자가 작업하는 옥내 작업장

23 비상경보설비를 설치하여야 하는 특정소방대상물의 기준으로 옳은 것은?(단, 지하구, 모래·석재 등 불연재료 창고 및 위험물 저장·처리 시설 중 가스시설은 제외한다) [18년 2회]

① 공연장의 경우 지하층 또는 무창층의 바닥면적이 100[m²] 이상인 것
② 지하층을 제외한 층수가 11층 이상인 것
③ 지하층의 층수가 3층 이상인 것
④ 30명 이상의 근로자가 작업하는 옥내작업장

해설 22번 해설 참조

24 비상경보설비를 설치하여야 할 특정소방대상물로 옳은 것은?(단, 지하구, 모래·석재 등 불연재료 창고 및 위험물 저장·처리 시설 중 가스시설은 제외한다) [19년 2회]

① 지하가 중 터널로서 길이가 400[m] 이상인 것

② 30명 이상의 근로자가 작업하는 옥내 작업장

③ 지하층 또는 무창층의 바닥면적이 150[m²](공연장의 경우 100[m²]) 이상인 것

④ 연면적 300[m²](지하가 중 터널 또는 사람이 거주하지 않거나 벽이 없는 축사 등 동·식물 관련시설은 제외) 이상인 것

해설 22번 해설 참조

25 비상경보설비 및 단독경보형 감지기의 화재안전기준(NFSC 201)에 따라 비상벨설비 또는 자동식사이렌설비의 지구음향장치는 특정소방대상물의 층마다 설치하되, 해당 특정소방대상물의 각 부분으로부터 하나의 음향장치까지의 수평거리가 몇 [m] 이하가 되도록 하여야 하는가? [17년 2회, 19년 4회]

① 15　　　　　　　　　　② 25

③ 40　　　　　　　　　　④ 50

해설 비상벨설비 또는 자동식사이렌의 지구음향장치 설치기준
- 지구음향장치는 특정소방대상물의 층마다 설치하되, 해당 특정소방대상물의 각 부분으로부터 하나의 음향장치까지의 수평거리가 25[m] 이하가 되도록 하고, 해당 층의 각 부분에 유효하게 경보를 발할 수 있도록 설치하여야 한다.
- 음향장치는 정격전압의 80[%] 전압에서 음향을 발할 수 있도록 하여야 한다. 다만, 건전지를 주전원으로 사용하는 음향장치는 그러하지 아니하다.
- 음향장치의 음량은 부착된 음향장치의 중심으로부터 1[m] 떨어진 위치에서 90[dB] 이상이 되는 것으로 하여야 한다.

26 비상경보설비 및 단독경보형 감지기의 화재안전기준(NFSC 201)에 따라 비상벨설비의 음향장치의 음량은 부착된 음향장치의 중심으로부터 1[m] 떨어진 위치에서 몇 [dB] 이상이 되는 것으로 하여야 하는가? [18년 1회, 20년 3회]

① 60　　　　　　　　　　② 70

③ 80　　　　　　　　　　④ 90

해설 25번 해설 참조

27 비상벨설비 또는 자동식사이렌설비의 설치기준 중 틀린 것은? [18년 1회]

① 전원은 전기가 정상적으로 공급되는 축전지, 전기저장장치 또는 교류전압의 옥내간선으로 하고, 전원까지의 배선은 전용으로 설치하여야 한다.

② 비상벨설비 또는 자동식사이렌설비에는 그 설비에 대한 감시상태를 60분간 지속한 후 유효하게 10분 이상 경보할 수 있는 축전지 설비(수신기에 내장하는 경우를 포함) 또는 전기저장장치를 설치하여야 한다.

③ 특정소방대상물의 층마다 설치하되, 해당 특정소방대상물의 각 부분으로부터 하나의 발신기까지의 수평거리가 25[m] 이하가 되도록 할 것. 다만, 복도 또는 별도로 구획된 실로서 보행거리가 40[m] 이상일 경우에는 추가로 설치하여야 한다.

④ 발신기의 위치표시등은 함의 상부에 설치하되, 그 불빛은 부착 면으로부터 45° 이상의 범위 안에서 부착지점으로부터 10[m] 이내의 어느 곳에서도 쉽게 식별할 수 있는 적색등으로 설치하여야 한다.

> **해설** **발신기**
> • 조작이 쉬운 장소에 설치하고, 조작스위치는 바닥으로부터 0.8[m] 이상 1.5[m] 이하의 높이에 설치할 것
> • 특정소방대상물의 층마다 설치하되, 해당 특정소방대상물의 각 부분으로부터 하나의 발신기까지의 수평거리가 25[m] 이하가 되도록 할 것. 다만, 복도 또는 별도로 구획된 실로서 보행거리가 40[m] 이상일 경우에는 추가로 설치하여야 한다.
> • 발신기의 위치표시등은 함의 상부에 설치하되, 그 불빛은 부착면으로부터 15° 이상의 범위 안에서 부착지점으로부터 10[m] 이내의 어느 곳에서도 쉽게 식별할 수 있는 적색등으로 할 것
> **상용전원**
> • 전원은 전기가 정상적으로 공급되는 축전지, 전기저장장치 또는 교류전압의 옥내간선으로 하고, 전원까지의 배선은 전용으로 할 것
> • 개폐기에는 "비상벨설비 또는 자동식사이렌설비용"이라고 표시한 표지를 할 것

핵심
예제

28 비상경보설비 및 단독경보형 감지기의 화재안전기준(NFSC 201)에 따라 비상경보설비의 발신기 설치 시 복도 또는 별도로 구획된 실로서 보행거리가 몇 [m] 이상일 경우에는 추가로 설치하여야 하는가? [20년 1·2회]

① 25
② 30
③ 40
④ 50

> **해설** 27번 해설 참조

29 비상경보설비 및 단독경보형 감지기의 화재안전기준(NFSC 201)에 따른 발신기의 시설기준으로 틀린 것은? [20년 3회]

① 발신기의 위치표시등은 함의 하부에 설치한다.

② 조작스위치는 바닥으로부터 0.8[m] 이상 1.5[m] 이하의 높이에 설치할 것

③ 복도 또는 별도로 구획된 실로서 보행거리가 40[m] 이상일 경우에는 추가로 설치하여야 한다.

④ 특정소방대상물의 층마다 설치하되, 해당 특정소방대상물의 각 부분으로부터 하나의 발신기까지의 수평거리가 25[m] 이하가 되도록 할 것

> 해설 27번 해설 참조

30 비상경보설비 및 단독경보형 감지기의 화재안전기준(NFSC 201)에 따른 발신기의 시설기준에 대한 내용이다. 다음 (   )에 들어갈 내용으로 옳은 것은? [20년 4회]

> 조작이 쉬운 장소에 설치하고, 조작 스위치는 바닥으로부터 (ⓐ)[m] 이상 (ⓑ)[m] 이하의 높이에 설치할 것

① ⓐ 0.6, ⓑ 1.2

② ⓐ 0.8, ⓑ 1.5

③ ⓐ 1.0, ⓑ 1.8

④ ⓐ 1.2, ⓑ 2.0

> 해설 27번 해설 참조

31 비상방송설비의 배선에 대한 설치기준으로 틀린 것은? [19년 2회]

① 배선은 다른 용도의 전선과 동일한 관, 덕트, 몰드 또는 풀박스 등에 설치할 것

② 전원회로의 배선은 옥내소화전설비의 화재안전기준에 따른 내화배선으로 설치할 것

③ 화재로 인하여 하나의 층의 확성기 또는 배선이 단락 또는 단선되어도 다른 층의 화재통보에 지장이 없도록 할 것

④ 부속회로의 전로와 대지 사이 및 배선 상호간의 절연저항은 1 경계구역마다 직류 250[V]의 절연저항측정기를 사용하여 측정한 절연저항이 0.1[MΩ] 이상이 되도록 할 것

해설 비상벨설비 또는 자동식사이렌설비의 배선 설치기준
- 전원회로의 배선은 옥내소화전설비의 화재안전기준에 따른 내화배선에 의하고, 그 밖의 배선은 옥내소화전설비의 화재안전기준에 따른 내화배선 또는 내열배선에 따를 것
- 전원회로의 전로와 대지 사이 및 배선 상호 간의 절연저항은 기술기준이 정하는 바에 의하고 부속회로의 전로와 대지 사이 및 배선 상호 간의 절연저항은 1경계구역마다 직류 250[V]의 절연저항측정기를 사용하여 측정한 절연저항이 0.1[MΩ] 이상이 되도록 할 것
- 배선은 다른 전선과 별도의 관·덕트·몰드 또는 풀박스 등에 설치할 것. 다만, 60[V] 미만의 약전류회로에 사용하는 전선으로서 각각의 전압이 같을 때에는 그러하지 아니하다.
  ※ 전원전압변동 시 축전지설비는 전원에 정격전압의 90[%] 및 110[%]의 전압을 인가하는 경우 정상적인 기능을 발휘하여야 한다.

핵심 예제

32 비상방송설비의 배선과 전원에 관한 설치기준 중 옳은 것은? [18년 4회]

① 부속회로의 전로와 대지 사이 및 배선 상호 간의 절연저항은 1경계구역마다 직류 110[V]의 절연저항측정기를 사용하여 측정한 절연저항이 1[MΩ] 이상이 되도록 한다.

② 전원은 전기가 정상적으로 공급되는 축전지 또는 교류전압의 옥내 간선으로 하고, 전원까지의 배선은 전용이 아니어도 무방하다.

③ 비상방송설비에는 그 설비에 대한 감시상태를 30분간 지속한 후 유효하게 10분 이상 경보할 수 있는 축전지설비를 설치하여야 한다.

④ 비상방송설비의 배선은 다른 전선과 별도의 관·덕트 몰드 또는 풀박스 등에 설치하되 60[V] 미만의 약전류회로에 사용하는 전선으로서 각각의 전압이 같을 때에는 그러하지 아니하다.

해설 31번 해설 참조

33 자동화재탐지설비의 화재안전기준에서 사용하는 용어가 아닌 것은? [19년 1회]

① 중계기

② 경계구역

③ 시각경보장치

④ 단독경보형 감지기

해설 단독경보형 감지기 : 비상경보설비 및 단독경보형 감지기에 사용되는 용어

핵심
예제

34 단독경보형 감지기의 설치기준 중 다음 (   ) 안에 알맞은 것은? [17년 4회]

> 이웃하는 실내의 바닥면적이 각각 (   )[m²] 미만이고 벽체의 상부의 전부 또는 일부가 개방되어 이웃하는 실내와 공기가 상호 유통되는 경우에는 이를 1개의 실로 본다.

① 30

② 50

③ 100

④ 150

해설 단독경보형 감지기 설치기준
- 각 실(이웃하는 실내의 바닥면적이 각각 30[m²] 미만이고 벽체의 상부의 부분 또는 일부가 개방되어 이웃하는 실내와 공기가 상호 유통되는 경우에는 이를 1개의 실로 본다)마다 설치하되, 바닥면적이 150[m²]를 초과하는 경우에는 150[m²]마다 1개 이상 설치할 것

  계산) 감지기의 수량 $= \dfrac{\text{바닥면적}[m^2]}{150[m^2]}$(소수점 이하 절상)

- 최상층의 계단실의 천장(외기가 상통하는 계단실의 경우를 제외)에 설치할 것
- 건전지를 주전원으로 사용하는 단독경보형 감지기는 정상적인 작동 상태를 유지할 수 있도록 건전지를 교환할 것

안심Touch

35 비상경보설비 및 단독경보형 감지기의 화재안전기준(NFSC 201)에 따른 단독경보형 감지기의 시설기준에 대한 내용이다. 다음 (   )에 들어갈 내용으로 옳은 것은?   [21년 2회]

> 단독경보형 감지기는 바닥면적이 (㉠)[m²]를 초과하는 경우에는 (㉡)[m²]마다 1개 이상을 설치하여야 한다.

① ㉠ 100, ㉡ 100
② ㉠ 100, ㉡ 150
③ ㉠ 150, ㉡ 150
④ ㉠ 150, ㉡ 200

해설   34번 해설 참조

36 비상경보설비 및 단독경보형 감지기의 화재안전기준(NFSC 201)에 따라 바닥면적이 450[m²]일 경우 단독경보형 감지기의 최소 설치개수는?   [20년 1·2회]

① 1개   ② 2개
③ 3개   ④ 4개

해설   단독경보형 감지기는 바닥면적 150[m²] 이내마다 설치해야 하므로

$$\therefore \ \frac{450}{150} = 3개$$

37 비상경보설비 및 단독경보형 감지기의 화재안전기준(NFSC 201)에 따라 화재신호 및 상태신호 등을 송수신하는 방식으로 옳은 것은?   [20년 4회]

① 자동식   ② 수동식
③ 반자동식   ④ 유·무선식

해설   화재신호 및 상태신호 등을 송수신하는 방식
  • 유선식 : 화재신호 등을 배선으로 송·수신하는 방식의 것
  • 무선식 : 화재신호 등을 전파에 의해 송·수신하는 방식의 것
  • 유·무선식 : 유선식과 무선식을 겸용으로 사용하는 방식의 것

38 단독경보형 감지기 중 연동식 감지기의 무선기능에 대한 설명으로 옳은 것은? [19년 1회]

① 화재신호를 수신한 단독경보형 감지기는 60초 이내에 경보를 발해야 한다.
② 무선통신 점검은 단독경보형 감지기가 서로 송수신하는 방식으로 한다.
③ 작동한 단독경보형 감지기는 화재경보가 정지하기 전까지 100초 이내 주기마다 화재신호를 발신해야 한다.
④ 무선통신 점검은 168시간 이내에 자동으로 실시하고 이때 통신이상이 발생하는 경우에는 300초 이내에 통신이상 상태의 단독경보형 감지기를 확인할 수 있도록 표시 및 경보를 해야 한다.

해설 **단독경보형 감지기의 무선기능** : 단독경보형 감지기 간 무선으로 송·수신을 위한 통신을 하는 기능

39 단독경보형 감지기를 설치하여야 하는 특정소방대상물의 기준 중 옳은 것은? [17년 4회]

① 연면적 1,000[m²] 미만의 아파트 등
② 연면적 2,000[m²] 미만의 기숙사
③ 교육연구시설 또는 수련시설 내에 있는 합숙소 또는 기숙사로서 연면적 1,000[m²] 미만인 것
④ 연면적 1,000[m²] 미만의 숙박시설

해설 **단독경보형 감지기 설치대상**
• 연면적 1,000[m²] 미만의 아파트 등
• 연면적 1,000[m²] 미만의 기숙사
• 교육연구시설 또는 수련시설 내에 있는 합숙소 또는 기숙사로서 연면적 2,000[m²] 미만인 것
• 연면적 600[m²] 미만의 숙박시설
• 수련시설(숙박시설이 있는 것만 해당한다)
• 연면적 400[m²] 미만의 유치원

40 감지기의 형식승인 및 제품검사의 기술기준에 따른 단독경보형 감지기(주전원이 교류전원 또는 건전지인 것을 포함한다)의 일반기능에 대한 설명으로 틀린 것은? [20년 4회]

① 작동되는 경우 작동표시등에 의하여 화재의 발생을 표시할 수 있는 기능이 있어야 한다.

② 작동되는 경우 내장된 음향장치의 명동에 의하여 화재경보음을 발할 수 있는 기능이 있어야 한다.

③ 전원의 정상상태를 표시하는 전원표시등의 섬광주기는 3초 이내에 점등과 60초 이내의 소등으로 이루어져야 한다.

④ 자동복귀형 수위치(자동적으로 정위치에 복귀될 수 있는 스위치를 말한다)에 의하여 수동으로 작동시험을 할 수 있는 기능이 있어야 한다.

해설 **단독경보형 감지기의 일반기능**
- 자동복귀형 스위치(자동적으로 정위치에 복귀될 수 있는 스위치를 말한다)에 의하여 수동으로 작동시험을 할 수 있는 기능이 있어야 한다(스위치에 의해 화재경보 정지 시 15분 후 정지 기능이 자동적으로 해제되어야 한다).
- 작동되는 경우 작동표시등에 의하여 화재의 발생을 표시하고, 내장된 음향장치의 명동에 의하여 화재경보음을 발할 수 있는 기능이 있어야 한다.
- 주기적으로 섬광하는 전원표시등에 의하여 전원의 정상 여부를 감시할 수 있는 기능이 있어야 하며, 전원의 정상상태를 표시하는 전원표시등의 섬광주기는 1초 이내의 점등과 30초에서 60초 이내의 소등으로 이루어져야 한다.
- 화재경보음은 감지기로부터 1[m] 떨어진 위치에서 85[dB] 이상으로 10분 이상 계속하여 경보할 수 있어야 한다.
- 건전지를 주전원으로 하는 감지기는 건전지의 성능이 저하되어 건전지의 교체가 필요한 경우에는 음성안내를 포함한 음향 및 표시등에 의하여 72시간 이상 경보할 수 있어야 한다. 이 경우 음향경보는 1[m] 떨어진 거리에서 70[dB](음성안내는 60[dB]) 이상이어야 한다.

핵심 예제

41 감지기의 형식승인 및 제품검사의 기술기준에 따라 단독경보형 감지기의 일반기능에 대한 내용이다. 다음 ( )에 들어갈 내용으로 옳은 것은? [21년 1회]

> 주기적으로 섬광하는 전원표시등에 의하여 전원의 정상여부를 감시할 수 있는 기능이 있어야 하며, 전원의 정상상태를 표시하는 전원표시등의 섬광주기는 (㉠)초 이내의 점등과 (㉡)초 에서 (㉢)초 이내의 소등으로 이루어져야 한다.

① ㉠ 1, ㉡ 15, ㉢ 60
② ㉠ 1, ㉡ 30, ㉢ 60
③ ㉠ 2, ㉡ 15, ㉢ 60
④ ㉠ 2, ㉡ 30, ㉢ 60

해설 40번 해설 참조

42 비상경보설비 및 단독경보형 감지기의 화재안전기준(NFSC 201)에 따른 비상벨설비에 대한 설명으로 옳은 것은? [21년 2회]

① 비상벨설비는 화재발생 상황을 사이렌으로 경보하는 설비를 말한다.
② 비상벨설비는 부식성가스 또는 습기 등으로 인하여 부식의 우려가 없는 장소에 설치하여야 한다.
③ 음향장치의 음량은 부착된 음향장치의 중심으로부터 1[m] 떨어진 위치에서 60[dB] 이상이 되는 것으로 하여야 한다.
④ 특정소방대상물의 층마다 설치하되, 해당 특정소방대상물의 각 부분으로부터 하나의 발신기까지의 수평거리가 30[m] 이하가 되도록 하여야 한다.

해설 비상벨설비 또는 자동식 사이렌설비의 지구음향장치는 특정소방대상물의 층마다 설치하되, 해당 특정소방대상물의 각 부분으로부터 하나의 음향장치까지의 수평거리가 25[m] 이하가 되도록 하고, 해당 층의 각 부분에 유효하게 경보를 발할 수 있도록 설치하여야 한다.

제5절) 시각경보장치, 누전경보기, 가스누설경보기

1 시각경보장치

(1) 설치기준

① 복도·통로·청각장애인용 객실 및 공용으로 사용하는 거실에 설치하며, 각 부분으로부터 유효하게 경보를 발할 수 있는 위치에 설치할 것

② 공연장·집회장·관람장 또는 이와 유사한 장소에 설치하는 경우에는 시선이 집중되는 무대부 부분 등에 설치할 것

③ 설치높이는 바닥으로부터 2[m] 이상 2.5[m] 이하의 장소에 설치할 것. 다만, 천장의 높이가 2[m] 이하인 경우에는 천장으로부터 0.15[m] 이내의 장소에 설치하여야 한다.

④ 시각경보장치의 광원은 전용의 축전지설비 또는 전기저장장치(외부 전기에너지를 저장해 두었다가 필요한 때 전기를 공급하는 장치)에 의하여 점등되도록 할 것. 다만, 시각경보기에 작동전원을 공급할 수 있도록 형식승인을 얻은 수신기를 설치한 경우에는 그러하지 아니하다.

(2) 구 조

① 부식에 의하여 기계적 기능이 영향을 받을 수 있는 부분은 내식성능이 있는 재질을 사용하거나 또는 내식가공 및 방청가공을 하여야 한다.

② 극성이 있는 경우에는 오접속을 방지하기 위하여 필요한 조치를 하여야 한다.

③ 충전부는 광원을 교환 및 점검할 때 감전되지 않도록 보호조치를 하여야 한다.

④ 시각경보장치는 견고하게 부착하거나 매입할 수 있는 구조이어야 한다.

⑤ 광원은 투광성 커버로 덮어 외부의 충격 및 이물질로부터 보호되어야 한다.

(3) 기 능

① 시각경보장치의 전원 입력 단자에 사용정격전압을 인가한 뒤, 신호장치에서 작동신호를 보내어 약 1분간 점멸횟수를 측정하는 경우 점멸주기는 매 초당 1회 이상 3회 이내이어야 한다.

② 시각경보장치의 전원 입력 단자에 사용정격전압을 인가한 후 광도측정 위치(광원으로부터 수평거리 6[m])에서 조도를 측정하는 경우 측정위치에 따른 유효광도[cd]는 다음 표의 광도기준에 적합하여야 한다.

광도 측정위치	0°(전면)	45°	90°(측면)
광도 기준	15[cd] 이상	11.25[cd] 이상	3.75[cd] 이상

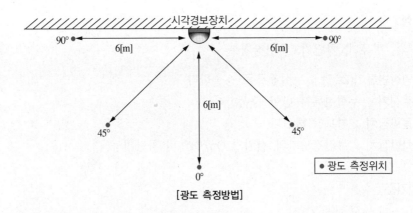

[광도 측정방법]

2 누전경보기

(1) 개 요

내화구조가 아닌 건축물로서 벽, 바닥 또는 천장의 전부나 일부를 불연재료 또는 준불연재료
가 아닌 재료에 철망을 넣어 만든 건물의 전기설비로부터 누설전류를 탐지하여 경보를 발하
며 변류기와 수신부로 구성된 것을 말한다.

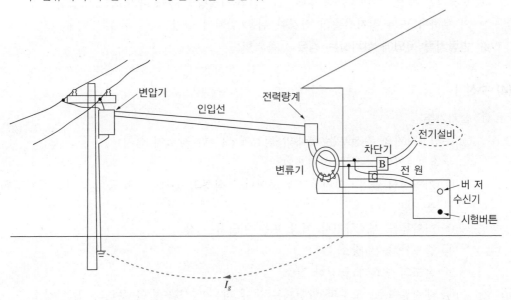

(2) 구 성

수신기, 변류기, 차단기, 음향장치로 구성

① **영상변류기(ZCT)** : 누설전류를 검출한다.
② **수신기** : 누설전류를 받아 증폭한다.
③ **음향장치** : 경보를 발한다.
④ **차단장치** : 누전경보기의 전원의 On/Off 및 차단기능

(3) 설치기준

① 경계전로의 정격전류가 60[A]를 초과하는 전로에 있어서는 1급 누전경보기를, 60[A]
이하의 전로에 있어서는 1급 또는 2급 누전경보기를 설치할 것. 다만, 정격전류가 60[A]
를 초과하는 경계전로가 분기되어 각 분기회로의 정격전류가 60[A] 이하로 되는 경우
당해 분기회로마다 2급 누전경보기를 설치한 때에는 당해 경계전로에 1급 누전경보기를
설치한 것으로 본다.

정격전류	60[A] 초과	60[A] 이하
경보기의 종류	1급	1급, 2급

② 변류기는 특정소방대상물의 형태, 인입선의 시설방법 등에 따라 옥외 인입선의 제1지점
의 부하측 또는 접지선측의 점검이 쉬운 위치에 설치
③ 변류기를 옥외에 설치하는 경우 : 옥외형

(4) 수신기

① 설치기준
　㉠ 누전경보기의 수신부는 옥내의 점검에 편리한 장소에 설치
　㉡ 누전경보기의 수신부 설치제외
　　ⓐ 가연성의 증기·먼지·가스 등이나 부식성의 증기·가스 등이 다량으로 체류하
　　　는 장소
　　ⓑ 화약류를 제조하거나 저장 또는 취급하는 장소
　　ⓒ 습도가 높은 장소
　　ⓓ 온도의 변화가 급격한 장소
　　ⓔ 대전류회로·고주파 발생회로 등에 따른 영향을 받을 우려가 있는 장소

② 구성도

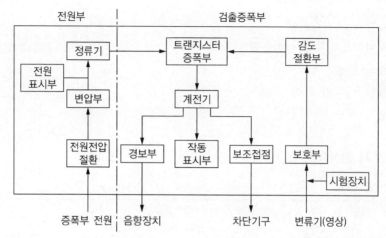

③ 수신부의 기능

　㉠ 호환성형 수신부는 신호입력회로에 공칭작동전류치에 대응하는 변류기의 설계출력
　　전압의 52[%]인 전압을 가하는 경우 30초 이내에 작동하지 아니하여야 하며, 75[%]
　　인 전압을 가하는 경우 1초(차단기구가 있는 것은 0.2초) 이내에 작동하여야 한다.

　㉡ 비호환성형 수신부는 신호입력회로에 공칭작동전류치의 42[%]에 대응하는 변류기
　　의 설계출력전압을 가하는 경우 30초 이내에 작동하지 아니하여야 하며, 1초(차단기
　　구가 있는 것은 0.2초) 이내에 작동하여야 한다.

④ 수신부의 누전표시

　수신부는 변류기로부터 송신된 신호를 수신하는 경우 적색표시 및 음향신호에 의하여
　누전을 자동적으로 표시할 수 있어야 한다(차단기구가 있는 경우 차단 후에도 누전되고
　있음을 적색표시로 계속 표시되는 것이어야 한다).

⑤ 수신부의 절연저항시험

　수신부는 절연된 충전부와 외함 간 및 차단기구의 개폐부(열린 상태에서는 같은 극의
　전원단자와 부하측단자와의 사이, 닫힌 상태에서는 충전부와 손잡이 사이)의 절연저항
　을 DC 500[V]의 절연저항계로 측정하는 경우 5[MΩ] 이상이어야 한다.

⑥ 수신부의 반복시험

　수신부는 그 정격전압에서 10,000회의 누전작동시험을 실시하는 경우 그 구조 또는
　기능에 이상이 생기지 아니하여야 한다.

(5) 전 원

① 전원은 분전반으로부터 전용회로, 각 극에 개폐기 및 16[A] 이하의 과전류차단기(배선용
　차단기에 있어서는 20[A] 이하의 것으로 각 극을 개폐할 수 있는 것)를 설치
② 전원의 개폐기에는 누전경보기용임을 표시한 표지를 할 것

(6) 누전경보기의 미작동 원인

① 접속단자의 접속불량
② 푸시버튼스위치의 접촉불량
③ 회로의 단선
④ 수신기 자체의 고장
⑤ 수신기 전원 퓨즈 단선

(7) 누전경보기 형식승인 및 제품검사 기술기준

① 대상별 전압

600[V] 이하	누전경보기의 경계전로전압(변류기 + 수신부)
300[V] 이하	전원변압기 1차전압(유도등, 비상조명등)
0.5[V]	누전경보기의 전압강하 최대치
60[V] 초과	접지단자 설치

② 경보기구에 내장하는 음향장치
　㉠ 사용전압의 80[%]인 전압에서 소리를 내어야 한다.
　㉡ 사용전압에서의 음압은 무향실 내에서 정위치에 부착된 음향장치의 중심으로부터
　　 1[m] 떨어진 지점에서 누전경보기는 70[dB] 이상이어야 한다. 다만, 고장표시장치용
　　 등의 음압은 60[dB] 이상이어야 한다.

③ 변류기 절연저항시험
　㉠ DC 500[V]의 절연저항계로 시험을 하는 경우 5[MΩ] 이상
　　ⓐ 절연된 1차권선과 2차권선 간의 절연저항
　　ⓑ 절연된 1차권선과 외부금속부 간의 절연저항
　　ⓒ 절연된 2차권선과 외부금속부 간의 절연저항

④ 변류기와 수신부

　① 변류기 ── 구조에 따른 분류(옥내형, 옥외형)
　　　　　　└─ 수신부와의 상호호환성 유무에 다른 분류(호환성형, 비호환성형)

　② 수신부 ── 정격전류에 따른 분류(1급, 2급)
　　　　　　└─ 변류기와의 호환성 유무에 따른 분류(호환성형, 비호환성형)

⑤ 공칭작동전류치와 감도조정장치 : 계약전류용량 : 100[A] 초과
　㉠ 공칭작동전류치 : 200[mA] 이하
　㉡ 감도조정장치 : 1[A](1,000[mA]) 이하

⑥ 변류기시험

변류기는 1개의 전선을 변류기에 부착시킨 회로를 설치하고 출력단자에 부하저항을 접속시킨 상태에서 정격전압의 20[%]에 해당하는 전류 인가 시 5분간 보낸 후 그 기능과 구조에 이상이 없어야 한다.

3 가스누설경보기

(1) 개 요

가스시설이 설치된 장소의 액화석유가스(LPG), 액화천연가스(LNG), 일산화탄소 또는 기타 가스(이소부탄, 메탄, 수소)를 탐지하여 경보하는 것을 말한다(단, 탐지소자 외의 방법에 의하여 가스가 새는 것을 탐지하는 것, 점검용으로 만들어진 휴대용검지기 또는 연동기기에 의하여 경보를 발하는 것은 제외).

(2) 설치 시 주의사항

① 수분·증기와 접촉할 우려가 없는 곳에 설치
② 가스가 체류하기 쉬운 장소에 설치
③ 분리형 경보기는 사람이 상주하는 곳에 설치
④ 주위온도가 40[℃] 이상이 될 우려가 없는 곳에 설치
⑤ 공기보다 무거운 연소기가 설치되어 있는 곳은 연소기로부터 4[m] 이내에 설치하고 바닥으로부터 30[cm] 정도 떨어져 설치하여야 한다(청소 시 수분접촉 우려).

(3) 가스누설경보기의 형식승인 및 제품검사기술기준

① 경보기의 분류
   ㉠ 단독형 - 가정용
   ㉡ 분리형 - 영업용 : 1회로용(공업용 : 1회로 이상용)
② 분리형 수신부의 기능에서 수신개시로부터 가스누설표시까지의 소요시간은 60초 이내일 것
③ 음향장치(가스누설경보기에 지구경보부를 설치하는 것은 이를 포함)
   사용전압의 80[%]인 전압에서 음향을 발하여야 하며 음향장치 중심으로부터 1[m] 떨어진 지점에서 다음 값 이상일 것
   ㉠ 주음향 장치용(공업용) : 90[dB] 이상
   ㉡ 주음향 장치용(단독형, 영업용) : 70[dB] 이상
   ㉢ 고장표시장치용 : 60[dB] 이상
   ㉣ 충전부와 비충전부 사이의 절연저항 : 직류 500[V] 절연저항계, 20[MΩ] 이상

④ 절연저항시험
   ㉠ 절연된 충전부와 외함 간 : 직류 500[V] 절연저항계, 5[MΩ] 이상
   ㉡ 입력측과 외함 간 : 직류 500[V] 절연저항계, 20[MΩ] 이상
   ㉢ 절연된 선로 간 : 직류 500[V] 절연저항계, 20[MΩ] 이상

⑤ 표시등
   ㉠ 전구는 사용전압의 130[%]인 교류전압을 20시간 연속하여 가했을 경우, 단선 또는 흑화 등이 발생하지 않아야 한다(단, 발광다이오드는 제외).
   ㉡ 전구는 2개 이상을 병렬로 접속하여야 한다(단, 방전등 또는 발광다이오드는 제외).
   ㉢ 주위의 밝기가 300[lx]인 장소 앞면에서 측정하였을 때 3[m] 떨어진 곳에서 켜진 등이 쉽게 식별되어야 한다.

> **화재 및 가스누설표시**
> • 화재등, 화재지구등 : 적색
> • 누설등, 누설지구등 : 황색

⑥ 예비전원
   예비전원은 알칼리계 2차 축전지, 리튬계 2차 축전지 또는 무보수밀폐형 연축전지로서 그 용량은 1회선용(단독형을 포함한다)의 경우 감시상태를 20분간 계속한 후 유효하게 작동되어 10분간 경보를 발할 수 있어야 하며, 2회로 이상인 경보기의 경우에는 연결된 모든 회로에 대하여 감시상태를 10분간 계속한 후 2회선을 유효하게 작동시키고 10분간 경보를 발할 수 있는 용량이어야 한다.

축전지 종류	방전종지전압
알칼리계 2차 축전지	1.0[V/셀]
무보수밀폐형 연축전지	1.75[V/셀]
리튬계 2차 축전지	2.75[V/셀]

01 청각장애인용 시각경보장치는 천장의 높이가 2[m] 이하인 경우에는 천장으로부터 몇 [m] 이내의 장소에 설치하여야 하는가?   [17년 2회, 18년 4회]

① 0.1

② 0.15

③ 1.0

④ 1.5

> **해설** 청각장애인용 시각경보장치 설치기준
> • 복도·통로·청각장애인용 객실 및 공용으로 사용하는 거실에 설치하며, 각 부분으로부터 유효하게 경보를 발할 수 있는 위치에 설치할 것
> • 공연장·집회장·관람장 또는 이와 유사한 장소에 설치하는 경우에는 시선이 집중되는 무대부 부분 등에 설치할 것
> • 설치높이는 바닥으로부터 2[m] 이상 2.5[m] 이하의 장소에 설치할 것. 다만, 천장의 높이가 2[m] 이하인 경우에는 천장으로부터 0.15[m] 이내의 장소에 설치하여야 한다.
> • 시각경보장치의 광원은 전용의 축전지설비 또는 전기저장장치(외부 전기에너지를 저장해 두었다가 필요한 때 전기를 공급하는 장치)에 의하여 점등되도록 할 것. 다만, 시각경보기에 작동전원을 공급할 수 있도록 형식승인을 얻은 수신기를 설치한 경우에는 그러하지 아니하다.

핵심
예제

02 누전경보기의 구성요소에 해당하지 않는 것은?   [17년 4회]

① 차단기

② 영상변류기(ZCT)

③ 음향장치

④ 발신기

> **해설** 누전경보기 구성
> • 영상변류기(ZCT) : 누설전류를 검출한다.
> • 수신기 : 누설전류를 받아 증폭한다.
> • 음향장치 : 경보를 발한다.
> • 차단장치 : 누전경보기의 전원의 On/Off 및 차단기능

03 경계전로의 누설전류를 자동적으로 검출하여 이를 누전경보기의 수신부에 송신하는 것을 무엇이라고 하는가?   [19년 1회]

① 수신부

② 확성기

③ 변류기

④ 증폭기

> **해설** 2번 해설 참조

정답 1 ② 2 ④ 3 ③

04 누전경보기의 형식승인 및 제품검사의 기술기준에 따라 누전경보기에 차단기구를 설치하는 경우 차단기구에 대한 설명으로 틀린 것은? [20년 4회]

① 개폐부는 정지점이 명확하여야 한다.

② 개폐부는 원활하고 확실하게 작동하여야 한다.

③ 개폐부는 KS C 8321(배선용차단기)에 적합한 것이어야 한다.

④ 개폐부는 수동으로 개폐되어야 하며 자동적으로 복귀하지 아니하여야 한다.

> **해설** 누전경보기에 차단기구를 설치하는 경우에는 다음에 적합하여야 한다.
> - 개폐부는 원활하고 확실하게 작동하여야 하며 정지점이 명확하여야 한다.
> - 개폐부는 수동으로 개폐되어야 하며 자동적으로 복귀하지 아니하여야 한다.
> - 개폐부는 KS C 4613(누전차단기)에 적합한 것이어야 한다.

핵심
예제

05 누전경보기의 화재안전기준(NFSC 205)의 용어 정의에 따라 변류기로부터 검출된 신호를 수신하여 누전의 발생을 해당 특정소방대상물의 관계인에게 경보하여 주는 것은? [19년 4회]

① 축전지

② 수신부

③ 경보기

④ 음향장치

> **해설** 수신부 : 변류기에서 검출된 미소한 전압을 수신하여 계전기를 동작시켜 음향장치의 경보를 발할 수 있도록 증폭시켜 주는 역할을 한다.

06 누전경보기의 화재안전기준(NFSC 205)에 따라 누전경보기의 수신부를 설치할 수 있는 장소는?(단, 해당 누전경보기에 대하여 방폭·방식·방습·방온·방진 및 정전기 차폐 등의 방호조치를 하지 않은 경우이다) [21년 1회]

① 습도가 낮은 장소
② 온도의 변화가 급격한 장소
③ 화약류를 제조하거나 저장 또는 취급하는 장소
④ 부식성의 증기·가스 등이 다량으로 체류하는 장소

> **해설** **누전경보기 수신기 설치기준**
> 누전경보기의 수신부는 옥내의 점검에 편리한 장소에 설치
> **누전경보기의 수신부 설치제외**
> • 가연성의 증기·먼지·가스 등이나 부식성의 증기·가스 등이 다량으로 체류하는 장소
> • 화약류를 제조하거나 저장 또는 취급하는 장소
> • 습도가 높은 장소
> • 온도의 변화가 급격한 장소
> • 대전류회로·고주파 발생회로 등에 따른 영향을 받을 우려가 있는 장소

핵심예제

07 누전경보기 수신부의 구조 기준 중 틀린 것은? [17년 2회]

① 2급 수신부에는 전원 입력측의 회로에 단락이 생기는 경우에 유효하게 보호되는 조치를 강구하여야 한다.
② 주전원의 양극을 동시에 개폐할 수 있는 전원스위치를 설치하여야 한다. 다만, 보수 시에 전원공급이 자동적으로 중단되는 방식은 그러하지 아니하다.
③ 감도조정장치를 제외하고 감도조정부는 외함의 바깥쪽에 노출되지 아니하여야 한다.
④ 전원입력측의 양선(1회선용은 1선 이상) 및 외부부하에 직접 전원을 송출하도록 구성된 회로에는 퓨즈 또는 브레이커 등을 설치하여야 한다.

> **해설** **수신부의 구조**
> • 전원을 표시하는 장치를 설치하여야 한다. 다만, 2급에서는 그러하지 아니하다.
> • 수신부는 다음 회로에 단락이 생기는 경우에는 유효하게 보호되는 조치를 강구하여야 한다.
>   – 전원 입력측의 회로(다만, 2급수신부에는 적용하지 아니한다)
>   – 수신부에서 외부의 음향장치와 표시등에 대하여 직접 전력을 공급하도록 구성된 외부회로
> • 감도조정장치를 제외하고 감도조정부는 외함의 바깥쪽에 노출되지 아니하여야 한다.
> • 주전원의 양극을 동시에 개폐할 수 있는 전원스위치를 설치하여야 한다. 다만, 보수시에 전원공급이 자동적으로 중단되는 방식은 그러하지 아니하다.
> • 전원입력측의 양선(1회선용은 1선 이상) 및 외부부하에 직접 전원을 송출하도록 구성된 회로에는 퓨즈 또는 브레이커 등을 설치하여야 한다.

08 누전경보기 수신부의 구조 기준 중 옳은 것은? [18년 1회]

① 감도조정장치와 감도조정부는 외함의 바깥쪽에 노출되지 아니하여야 한다.

② 2급 수신부는 전원을 표시하는 장치를 설치하여야 한다.

③ 전원입력측의 양선(1회선용은 1선 이상) 및 외부부하에 직접 전원을 송출하도록 구성된 회로에는 퓨즈 또는 브레이커 등을 설치하여야 한다.

④ 2급 수신부에는 전원 입력측의 회로에 단락이 생기는 경우에는 유효하게 보호되는 조치를 강구하여야 한다.

해설 7번 해설 참조

핵심
예제

09 누전경보기 변류기의 절연저항시험 부위가 아닌 것은? [18년 2회]

① 절연된 1차권선과 단자판 사이

② 절연된 1차권선과 외부금속부 사이

③ 절연된 1차권선과 2차권선 사이

④ 절연된 2차권선과 외부금속부 사이

해설 **누전경보기 변류기 절연저항시험** : 변류기는 직류 500[V]의 절연저항계로 5[MΩ] 이상이어야 한다.
• 절연된 1차 권선과 2차 권선 간
• 절연된 1차 권선과 외부금속부 간
• 절연된 2차 권선과 외부금속부 간

10 누전경보기의 형식승인 및 제품검사의 기술기준에 따라 누전경보기의 수신부는 그 정격전압에서 몇 회의 누전작동시험을 실시하는가? [20년 1·2회]

① 1,000회

② 5,000회

③ 10,000회

④ 20,000회

해설 **누전경보기 반복시험** : 수신부는 그 정격전압에서 10,000회 누전작동시험을 실시하는 경우 구조 및 기능에 이상이 없을 것

8 ③ 9 ① 10 ③ 정답

11 누전경보기의 전원은 분전반으로부터 전용회로로 하고 각 극에 개폐기와 몇 [A] 이하의 과전류차단기를 설치하여야 하는가? [19년 2회]

① 15 ② 20
③ 25 ④ 30

해설 누전경보기의 전원은 분전반으로부터 전용회로, 각 극에 개폐기 및 15[A](16[A] : KEC 변경) 이하의 과전류차단기(배선용 차단기에 있어서는 20[A] 이하의 것으로 각 극을 개폐할 수 있는 것)를 설치

12 누전경보기의 전원은 배선용 차단기에 있어서는 몇 [A] 이하의 것으로 각 극을 개폐할 수 있는 것을 설치하여야 하는가? [17년 4회]

① 10 ② 15
③ 20 ④ 30

해설 11번 해설 참조

핵심
예제

13 누전경보기 전원의 설치기준 중 다음 ( ) 안에 알맞은 것은? [18년 4회]

전원은 분전반으로부터 전용회로로 하고, 각 극에 개폐기 및 (㉠)[A] 이하의 과전류차단기(배선용 차단기에 있어서는 (㉡)[A] 이하의 것으로 각 극을 개폐할 수 있는 것)를 설치할 것

① ㉠ 15, ㉡ 30
② ㉠ 15, ㉡ 20
③ ㉠ 10, ㉡ 30
④ ㉠ 10, ㉡ 20

해설 11번 해설 참조

14 누전경보기의 형식승인 및 제품검사의 기술기준에 따른 누전경보기 수신부의 기능검사 항목이 아닌 것은? [20년 3회]

① 충격시험

② 진공가압시험

③ 과입력전압시험

④ 전원전압변동시험

> **해설** 수신부의 기능검사
> - 전원전압변동시험
> - 온도특성시험
> - 과입력전압시험
> - 개폐기의 조작시험
> - 반복시험
> - 진동시험
> - 충격시험
> - 방수시험
> - 절연저항시험
> - 절연내력시험
> - 충격파내전압시험

15 다음 ( )에 들어갈 내용으로 옳은 것은? [19년 2회]

> 누전경보기란 ( ) 이하인 경계전로의 누설전류 또는 지락전류를 검출하여 당해 소방대상물의 관계인에게 경보를 발하는 설비로서 변류기와 수신부로 구성된 것을 말한다.

① 사용전압 220[V]

② 사용전압 380[V]

③ 사용전압 600[V]

④ 사용전압 750[V]

> **해설** 누전경보기 형식승인 및 제품검사 기술기준(대상별 전압)
>
> | 600[V] 이하 | 누전경보기의 경계전로전압(변류기 + 수신부) |
> | --- | --- |
> | 300[V] 이하 | 전원변압기 1차전압(유도등, 비상조명등) |
> | 0.5[V] | 누전경보기의 전압강하 최대치 |
> | 60[V] 초과 | 접지단자 설치 |

16 누전경보기 부품의 구조 및 기능 기준 중 누전경보기에 변압기를 사용하는 경우 변압기의 정격 1차 전압은 몇 [V] 이하로 하는가? [17년 2회]

① 100
② 200
③ 300
④ 400

해설 15번 해설 참조

17 누전경보기의 형식승인 및 제품검사의 기술기준에 따라 누전경보기의 변류기는 경계전로에 정격전류를 흘리는 경우, 그 경계전로의 전압강하는 몇 [V] 이하이어야 하는가?(단, 경계전로의 전선을 그 변류기에 관통시키는 것은 제외한다) [20년 3회]

① 0.3
② 0.5
③ 1.0
④ 3.0

해설 15번 해설 참조

핵심
예제

18 누전경보기의 형식승인 및 제품검사의 기술기준에 따라 누전경보기의 경보기구에 내장하는 음향장치는 사용전압의 몇 [%]인 전압에서 소리를 내어야 하는가? [19년 4회]

① 40
② 60
③ 80
④ 100

해설 경보기구에 내장하는 음향장치
• 사용전압의 80[%]인 전압에서 소리를 내어야 한다.
• 사용전압에서의 음압은 무향실 내에서 정위치에 부착된 음향장치의 중심으로부터 1[m] 떨어진 지점에서 누전경보기는 70[dB] 이상이어야 한다. 다만, 고장표시장치용 등의 음압은 60[dB] 이상이어야 한다.

19 누전경보기의 5~10회로까지 사용할 수 있는 집합형 수신기 내부결선도에서 구성요소가
아닌 것은? [17년 1회, 19년 1회]

① 제어부

② 증폭부

③ 조작부

④ 자동입력 절환부

해설 **누전경보기 집합형 수신기 내부결선도**

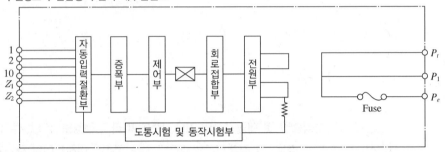

수신기 내부결선도 구성요소

- 자동입력전환부
- 증폭부
- 제어부
- 도통시험 및 동작시험부
- 회로접합부
- 전원부

20 누전경보기의 형식승인 및 제품검사의 기술기준에 따라 외함은 불연성 또는 난연성 재질로
만들어져야 하며, 누전경보기 외함의 두께는 몇 [mm] 이상이어야 하는가?(단, 직접 벽면에
접하여 벽 속에 매립되는 외함의 부분은 제외한다) [21년 2회]

① 1

② 1.2

③ 2.5

④ 3

해설 누전경보기의 외함의 두께는 1.0[mm] 이상, 직접 벽면에 접하여 벽 속에 매립되는 외함의 부분은
1.6[mm] 이상으로 한다.

19 ③ 20 ① 정답

21 누전경보기의 형식승인 및 제품검사의 기술기준에 따라 감도조정장치를 갖는 누전경보기에 있어서 감도조정장치의 조정범위는 최대치가 몇 [A]이어야 하는가? [21년 2회]

① 0.2

② 1.0

③ 1.5

④ 2.0

> **해설** 공칭작동전류치와 감도조정장치 : 계약전류용량 : 100[A] 초과
> • 공칭작동전류치 : 200[mA] 이하
> • 감도조정장치 : 1[A](1,000[mA]) 이하

22 누전경보기를 설치하여야 하는 특정소방대상물의 기준 중 다음 (   ) 안에 알맞은 것은? (단, 위험물 저장 및 처리 시설 중 가스시설, 지하가 중 터널 또는 지하구의 경우는 제외한다) [18년 1회]

> 누전경보기는 계약전류용량이 (   )[A]를 초과하는 특정소방대상물(내화구조가 아닌 건축물로서 벽·바닥 또는 반자의 전부나 일부를 불연재료 또는 준불연재료가 아닌 재료에 철망을 넣어 만든 것만 해당)에 설치하여야 한다.

**핵심
예제**

① 60

② 100

③ 200

④ 300

> **해설** 21번 해설 참조

23 누전경보기의 형식승인 및 제품검사의 기술기준에 따라 누전경보기에서 사용되는 표시등에 대한 설명으로 틀린 것은? [20년 4회]

① 지구등은 녹색으로 표시되어야 한다.

② 소켓은 접촉이 확실하여야 하며 쉽게 전구를 교체할 수 있도록 부착하여야 한다.

③ 주위의 밝기가 300[lx]인 장소에서 측정하여 앞면으로부터 3[m] 떨어진 곳에서 켜진 등이 확실히 식별되어야 한다.

④ 전구는 사용전압의 130[%]인 교류전압을 20시간 연속하여 가하는 경우 단선, 현저한 광속변화, 흑화, 전류의 저하 등이 발생하지 아니하여야 한다.

> **해설** 누전경보기의 지구등은 적색으로 표시되어야 한다. 이 경우 누전등이 설치된 수신부의 지구등은 적색 외의 색으로도 표시할 수 있다.

24 누전경보기의 형식승인 및 제품검사의 기술기준에 따라 누전경보기에 사용되는 표시등의 구조 및 기능에 대한 설명으로 틀린 것은? [21년 1회]

① 누전등이 설치된 수신부의 지구등은 적색 외의 색으로도 표시할 수 있다.

② 방전등 또는 발광다이오드의 경우 전구는 2개 이상을 병렬로 접속하여야 한다.

③ 소켓은 접촉이 확실하여야 하며 쉽게 전구를 교체할 수 있도록 부착하여야 한다.

④ 누전등 및 지구등과 쉽게 구별할 수 있도록 부착된 기타의 표시등은 적색으로도 표시할 수 있다.

해설 **누전경보기에 사용되는 표시등**
- 전구는 사용전압의 130[%]인 교류전압을 20시간 연속하여 가했을 경우, 단선 또는 흑화 등이 발생하지 않아야 한다(단, 발광다이오드는 제외).
- 전구는 2개 이상을 병렬로 접속하여야 한다(단, 방전등 또는 발광다이오드는 제외).
- 주위의 밝기가 300[lx]인 장소 앞면에서 측정하였을 때 3[m] 떨어진 곳에서 켜진 등이 쉽게 식별되어야 한다.

> **화재 및 가스누설표시**
> - 화재등, 화재지구등 : 적색
> - 누설등, 누설지구등 : 황색

핵심
예제

제6절 기타 부대전기설비

1 전원(상용, 비상, 예비전원설비)

(1) 상용전원

전기가 정상공급되는 교류전압의 옥내간선으로 전원까지 배선은 전용이며 개폐기에는 "자동화재탐지설비용"이라고 표시할 것

(2) 비상전원

① 비상전원 수전설비

비상전원 수전설비는 전용의 변압기에 따라 수전하거나 또는 수전설비의 주변압기의 2차 측에서 직접 전용의 개폐기에 의해 수전하는 설비로 되어 있다.

㉠ 특별고압 또는 고압으로 수전하는 경우

특별고압 또는 고압으로 수전하는 비상전원 수전설비는 방화구획형, 옥외개방형 또는 큐비클(Cubicle)형으로 하여야 하며 다음 규정에 따라 설치할 것

ⓐ 전용의 방화구획 내에 설치

ⓑ 소방회로배선은 일반회로배선과 불연성 벽으로 구획할 것. 단, 소방회로배선과 일반회로배선을 15[cm] 이상 떨어져 설치한 경우는 그러하지 아니하다.

ⓒ 일반회로에서 과부하, 지락사고 또는 단락사고가 발생한 경우에도 이에 영향을 받지 아니하고 계속하여 소방회로에 전원을 공급할 수 있을 것

ⓓ 소방회로용 개폐기 및 과전류차단기에는 "소방시설용"이라 표시할 것

㉡ 저압으로 수전하는 경우

저압으로 수전하는 비상전원설비는 전용배전반(1・2종)・전용분전반(1・2종) 또는 공용분전반(1・2종)으로 하여야 한다.

※ 큐비클형 설치 규정

- 전용큐비클 또는 공용큐비클식으로 설치할 것
- 외함은 두께 2.3[mm] 이상의 강판 및 동등 이상의 강도와 내화성능이 있는 것으로 제작하여야 하며, 개구부에는 갑종, 을종방화문을 설치할 것
- 외함은 건축물의 바닥 등에 견고하게 고정할 것
- 외함에 수납하는 수전설비, 변전설비 그 밖의 기기 및 배선은 다음에 따라 설치할 것
  - 외함 또는 프레임(Frame) 등에 견고하게 고정할 것
  - 외함의 바닥에서 10[cm](시험단자, 단자대 등의 충전부는 15[cm]) 이상의 높이에 설치할 것

- 환기장치는 다음에 따라 설치할 것
  - 자연환기구인 경우 개구부 면적의 합계는 외함의 한 면에 대하여 해당 면적의 3분의 1 이하로 할 것. 이 경우 하나의 통기구의 크기는 직경 10[mm] 이상의 둥근 막대가 들어갈 수 없을 것
  - 자연환기구에 의해 충분히 환기할 수 없는 경우에는 환기설비를 설치할 것
  - 환기구에는 금속망, 방화댐퍼 등으로 방화조치를 할 것. 옥외에 설치하는 것은 빗물 등이 들어가지 않도록 할 것
- 공용큐비클식의 소방회로와 일반회로에 사용되는 배선 및 배선용기기는 불연재료로 구획할 것
- 전선 인입구 및 인출구에는 금속관 또는 금속제 가요전선관을 쉽게 접속할 수 있을 것
- 다음에 해당하는 것은 외함에 노출하여 설치할 수 있다.
  - 표시등(불연성 또는 난연성재료의 덮개를 설치한 것에 한한다)
  - 전선의 인입구 및 인출구
  - 환기장치
  - 전압계(퓨즈 등으로 보호한 것에 한한다)
  - 전류계(변류기의 2차측에 접속된 것에 한한다)
  - 계기용 전환스위치(불연성 또는 난연성재료로 제작된 것에 한한다)

② **축전지 설비** : 밀폐형, 필러설치형, 개방형
  ㉠ 구성요소 : 축전지, 충전장치, 보안장치, 제어장치
  ㉡ 구조 및 비교

종 별		연축전지		알칼리축전지	
형식명		클래드식(CS형)	페이스트식(HS형)	포켓식(AL, AM, AH형)	소결식(AH, AHH형)
작용 물질	양 극	PbO_2(산화납)		NiOOH(수산화 니켈)	
	음 극	Pb(납)		Cd(카드뮴)	
	전해액	H_2SO_4(황산)		KOH(수산화 칼륨)	
전해액 비중		1.21~1.24(20[℃])		1.2~1.3(20[℃])	
반응식		양극 음극 $PbO_2 + 2H_2SO_4 + Pb \leftrightarrow$ $PbSO_4 + 2H_2O + PbSO_4$		양극 음극 $2NiOOH + 2H_2O + Cd \leftrightarrow$ $2Ni(OH)_2 + Cd(OH)_2$	
공칭용량		10시간율(10[Ah])		5시간율(5[Ah])	
공칭전압		2[V]		1.2[V]	

※ 축전지설비에는 과충전방지장치 또는 과방전방지장치를 설치해야 하며 자동 또는 수동에 따라 용이하게 균등충전을 행할 수 있는 장치를 할 것(최대 부하전류의 1.5~3배 정격전류에 작동하는 밀폐형퓨즈 설치)

ⓒ 충전장치

ⓐ 자동으로 충전되고, 충전완료 후에는 트리클충전 또는 부동충전방식으로 자동 절환될 것

ⓑ 충전장치의 입력 측에는 개폐기 및 과전류차단기를 설치

ⓒ 충전부와 외함 사이의 절연저항은 직류 500[V]의 절연저항측정기로 측정치가 5[MΩ] 이상으로 할 것

ⓒ 충전방식 종류

ⓐ 균등충전 : 각 전해조에서 일어나는 전위차를 보정하기 위하여 1~3개월마다 1회 정전압으로 충전하여 각 전해조의 용량을 균일하게 하는 충전방식

ⓑ 세류충전(트리클충전) : 자기 방전량만을 항상 보충해 주는 부동충전방식의 일종

ⓒ 급속충전 : 비교적 단시간에 보통 충전전류의 2~3배의 전류로 충전

ⓓ 부동충전 : 충전장치를 축전지와 부하에 병렬로 연결, 전지의 자기방전을 보충함과 동시에 상용부하에 대한 전력공급은 충전기가 부담하고 충전기가 부담하기 어려운 대전류 부하는 축전지가 부담하게 하는 방식

ⓔ 보통충전 : 필요할 때마다 표준 시간율로 소정의 충전

③ 예비전원설비

㉠ 예비전원의 구조 및 성능

ⓐ 취급 및 보수점검이 쉽고 내구성이 있을 것

ⓑ 먼지, 습기 등에 의하여 기능에 이상이 생기지 아니할 것

ⓒ 배선은 충분한 전류 용량을 가질 것

ⓓ 부착 방향에 따라 누액이 없고 기능에 이상이 없을 것

ⓔ 외부와 쉽게 접촉할 우려가 있는 충전부는 충분히 보호하고 외함과 단자 사이는 절연물로 보호할 것

ⓕ 예비전원에 연결되는 배선의 경우 양극은 적색, 음극은 청색 또는 흑색으로 오접속방지 조치를 할 것

ⓖ 충전장치의 이상 등에 의하여 내부가스압이 이상 상승할 우려가 있는 것은 안전조치를 강구할 것

ⓗ 축전지에 배선 등은 직접 납땜하지 아니하여야 하며 축전지 개개의 연결부분은 스포트용접 등으로 확실하고 견고하게 접속할 것

ⓘ 예비전원을 병렬로 접속하는 경우는 역충전방지 등의 조치를 강구할 것

ⓙ 현저한 오염, 변형 등이 없을 것

ⓚ 축전지를 직렬, 병렬로 사용 시 용량(전압, 전류)이 균일한 축전지를 사용할 것

㉡ 예비전원 시험방법

ⓐ 상온 충방전시험

ⓑ 주위온도 충방전시험

ⓒ 안전장치시험

ⓒ 예비전원 시험

ⓐ 충·방전시험 : 원통형 니켈카드뮴 축전지의 충전시험 및 방전시험은 완전방전상
태를 기준하여 시작한다.

ⓑ 안전장치시험 : 예비전원은 1/5[C] 이상 1[C] 이하의 전류로 역충전하는 경우
5시간 이내에 안전장치가 작동하여야 하며 외관이 부풀어 오르거나 누액 등이
생기지 아니할 것

[각 설비의 비상전원의 용량]

설비의 종류	비상전원용량
자동화재탐지설비, 자동화재속보설비, 비상경보설비	10분 이상
제연설비, 비상콘센트설비, 옥내소화전설비, 유도등	20분 이상
무선통신보조설비의 증폭기	30분 이상
유도등, 비상조명등(지하상가 및 11층 이상)	60분 이상

※ 여러 가지 원인

① 비상용 디젤발전기가 기동하지 못하는 원인

㉠ 연료공급장치의 고장

㉡ 냉각장치의 고장

㉢ 점화계통의 불량

㉣ 축전지의 충전불량

② 자동화재탐지설비가 동작하지 않는 경우의 원인

㉠ 자동화재탐지설비 전원의 고장

㉡ 자동화재탐지설비 전기회로의 단선 및 접촉불량

㉢ 자동화재탐지설비 릴레이·감지기 등의 접점불량

㉣ 자동화재탐지설비 감지기의 기능불량

③ 비화재보가 발생할 수 있는 원인

㉠ 표시회로의 절연불량

㉡ 감지기 및 수신기 기능불량

㉢ 감지기가 설치되어 있는 장소의 온도변화가 순간 급격한 것에 의한 것

④ 비화재보가 빈번할 때의 조치사항

㉠ 감지기회로 배선의 절연상태 조사

㉡ 수신기 내부의 계전기 기능 조사

㉢ 감지기 설치장소에 이상온도 반입체가 있는가 조사

㉣ 표시회로의 절연상태 확인

□1 전기사업자로부터 저압으로 수전하는 경우 비상전원설비로 옳은 것은?　　　　　[17년 1회]

① 방화구획형　　　　　　　　　② 전용배전반(1 · 2종)
③ 큐비클형　　　　　　　　　　④ 옥외개방형

> **해설**　저압으로 수전하는 경우
>
> 저압으로 수전하는 비상전원설비는 전용배전반(1 · 2종) · 전용분전반(1 · 2종) 또는 공용분전반(1 · 2종)으로 하여야 한다.

□2 소방시설용 비상전원수전설비의 화재안전기준(NFSC 602)에 따라 큐비클형의 시설기준으로 틀린 것은?　　　　　[20년 1회]

① 전용큐비클 또는 공용큐비클식으로 설치할 것
② 외함은 건축물의 바닥 등에 견고하게 고정할 것
③ 자연환기구에 따라 충분히 환기할 수 없는 경우에는 환기설비를 설치할 것
④ 공용큐비클식의 소방회로와 일반회로에 사용되는 배선 및 배선용기기는 난연재료로 구획할 것

> **해설**　큐비클형 설치 규정
>
> - 전용큐비클 또는 공용큐비클식으로 설치할 것
> - 외함은 두께 2.3[mm] 이상의 강판 및 동등 이상의 강도와 내화성능이 있는 것으로 제작하여야 하며, 개구부에는 갑종, 을종방화문을 설치할 것
> - 외함은 건축물의 바닥 등에 견고하게 고정할 것
> - 외함에 수납하는 수전설비, 변전설비 그 밖의 기기 및 배선은 다음에 따라 설치할 것
>   - 외함 또는 프레임(Frame) 등에 견고하게 고정할 것
>   - 외함의 바닥에서 10[cm](시험단자, 단자대 등의 충전부는 15[cm]) 이상의 높이에 설치할 것
> - 환기장치는 다음에 따라 설치할 것
>   - 자연환기구인 경우 개구부 면적의 합계는 외함의 한 면에 대하여 해당 면적의 3분의 1 이하로 할 것. 이 경우 하나의 통기구의 크기는 직경 10[mm] 이상의 둥근 막대가 들어갈 수 없을 것
>   - 자연환기구에 의해 충분히 환기할 수 없는 경우에는 환기설비를 설치할 것
>   - 환기구에는 금속망, 방화댐퍼 등으로 방화조치를 할 것. 옥외에 설치하는 것은 빗물 등이 들어가지 않도록 할 것
> - 공용큐비클식의 소방회로와 일반회로에 사용되는 배선 및 배선용기기는 불연재료로 구획할 것
> - 전선 인입구 및 인출구에는 금속관 또는 금속제 가요전선관을 쉽게 접속할 수 있을 것
> - 다음에 해당하는 것은 외함에 노출하여 설치할 수 있다.
>   - 표시등(불연성 또는 난연성재료의 덮개를 설치한 것에 한한다)
>   - 전선의 인입구 및 인출구
>   - 환기장치
>   - 전압계(퓨즈 등으로 보호한 것에 한한다)
>   - 전류계(변류기의 2차측에 접속된 것에 한한다)
>   - 계기용 전환스위치(불연성 또는 난연성재료로 제작된 것에 한한다)

03 소방시설용 비상전원수전설비의 화재안전기준(NFSC 602)에 따라 일반전기사업자로부터 특별고압 또는 고압으로 수전하는 비상전원수전설비로 큐비클형을 사용하는 경우의 시설기준으로 틀린 것은?(단, 옥내에 설치하는 경우이다) [21년 1회]

① 외함은 내화성능이 있는 것으로 제작할 것
② 전용큐비클 또는 공용큐비클식으로 설치할 것
③ 개구부에는 갑종방화문 또는 병종방화문을 설치할 것
④ 외함은 두께 2.3[mm] 이상의 강판과 이와 동등 이상의 강도를 가질 것

해설 2번 해설 참조

핵심
예제

04 소방시설용 비상전원수전설비의 화재안전기준(NFSC 602)에 따라 소방시설용 비상전원수전설비에서 소방회로 및 일반회로 겸용의 것으로서 수전설비, 변전설비 그 밖의 기기 및 배선을 금속제 외함에 수납한 것은? [20년 1·2회]

① 공용분전반
② 전용배전반
③ 공용큐비클식
④ 전용큐비클식

해설 2번 해설 참조

05 소방회로용의 것으로 수전설비, 변전설비 그 밖의 기기 및 배선을 금속제 외함에 수납한 것으로 정의되는 것은?

[19년 2회]

① 전용분전반
② 공용분전반
③ 공용큐비클식
④ 전용큐비클식

해설
- 전용큐비클 : 소방회로용의 것으로 수전설비, 변전설비 그 밖의 기기 및 배선을 금속제 외함에 수납한 것
- 공용큐비클 : 소방회로 및 일반회로 겸용의 것으로서 수전설비, 변전 설비 그 밖의 기기 및 배선을 금속제 외함에 수납한 것

06 축전지의 자기방전을 보충함과 동시에 상용부하에 대한 전력공급은 충전기가 부담하도록 하되 충전기가 부담하기 어려운 일시적인 대전류 부하는 축전지로 하여금 부담하게 하는 충전방식은?

[19년 1회]

① 과충전방식
② 균등충전방식
③ 부동충전방식
④ 세류충전방식

해설 **충전방식 종류**
- 균등충전 : 각 전해조에서 일어나는 전위차를 보정하기 위하여 1~3개월마다 1회 정전압으로 충전하여 각 전해조의 용량을 균일하게 하는 충전방식
- 세류충전(트리클충전) : 자기 방전량만을 항상 보충해 주는 부동충전방식의 일종
- 급속충전 : 비교적 단시간에 보통 충전전류의 2~3배의 전류로 충전
- 부동충전 : 충전장치를 축전지와 부하에 병렬로 연결, 전지의 자기방전을 보충함과 동시에 상용부하에 대한 전력공급은 충전기가 부담하고 충전기가 부담하기 어려운 대전류 부하는 축전지가 부담하게 하는 방식
- 보통충전 : 필요할 때마다 표준 시간율로 소정의 충전

07 예비전원의 성능인증 및 제품검사의 기술기준에서 정의하는 "예비전원"에 해당하지 않는 것은? [20년 4회]

① 리튬계 2차 축전지
② 알칼리계 2차 축전지
③ 용융염 전해질 연료전지
④ 무보수 밀폐형 연축전지

해설 예비전원 종류 : 알칼리계 2차 축전지, 리튬계 2차 축전지, 무보수 밀폐형 축전지

08 예비전원의 성능인증 및 제품검사의 기술기준에 따른 예비전원의 구조 및 성능에 대한 설명으로 틀린 것은? [20년 3회]

① 예비전원을 병렬로 접속하는 경우는 역충전방지 등의 조치를 강구하여야 한다.
② 배선은 충분한 전류 용량을 갖는 것으로서 배선의 접속이 적합하여야 한다.
③ 예비전원에 연결되는 배선의 경우 양극은 청색, 음극은 적색으로 오접속방지 조치를 하여야 한다.
④ 축전지를 직렬 또는 병렬로 사용하는 경우에는 용량(전압, 전류)이 균일한 축전지를 사용하여야 한다.

해설 예비전원의 구조 및 성능
- 취급 및 보수점검이 쉽고 내구성이 있을 것
- 먼지, 습기 등에 의하여 기능에 이상이 생기지 아니할 것
- 배선은 충분한 전류 용량을 가질 것
- 부착 방향에 따라 누액이 없고 기능에 이상이 없을 것
- 외부와 쉽게 접촉할 우려가 있는 충전부는 충분히 보호하고 외함과 단자 사이는 절연물로 보호할 것
- 예비전원에 연결되는 배선의 경우 양극은 적색, 음극은 청색 또는 흑색으로 오접속방지 조치를 할 것
- 충전장치의 이상 등에 의하여 내부가스압이 이상 상승할 우려가 있는 것은 안전조치를 강구할 것
- 축전지에 배선 등은 직접 납땜하지 아니하여야 하며 축전지 개개의 연결부분은 스포트용접 등으로 확실하고 견고하게 접속할 것
- 예비전원을 병렬로 접속하는 경우는 역충전방지 등의 조치를 강구할 것
- 현저한 오염, 변형 등이 없을 것
- 축전지를 직렬, 병렬로 사용 시 용량(전압, 전류)이 균일한 축전지를 사용할 것

09 비상경보설비의 축전지설비의 구조에 대한 설명으로 틀린 것은? [19년 2회]

① 예비전원을 병렬로 접속하는 경우에는 역충전 방지 등의 조치를 하여야 한다.

② 내부에 주전원의 양극을 동시에 개폐할 수 있는 전원스위치를 설치하여야 한다.

③ 축전지설비는 접지전극에 교류전류를 통하는 회로방식을 사용하여서는 아니 된다.

④ 예비전원은 축전지설비용 예비전원과 외부부하 공급용 예비전원을 별도로 설치하여야 한다.

해설 축전지설비는 접지전극에 직류, 교류전류를 통하는 회로방식을 사용할 수 있다.

10 예비전원의 성능인증 및 제품검사의 기술기준에 따라 다음의 (   )에 들어갈 내용으로 옳은 것은? [19년 1회]

> 예비전원은 1/5[C] 이상 1[C] 이하의 전류로 역충전하는 경우 (   )시간 이내에 안전장치가 작동되어야 하며, 외관이 부풀어 오르거나 누액 등이 없어야 한다.

① 1

② 3

③ 5

④ 10

해설 예비전원 시험
- 충·방전시험 : 원통형 니켈카드뮴 축전지의 충전시험 및 방전시험은 완전방전상태를 기준하여 시작한다.
- 안전장치시험 : 예비전원은 1/5[C] 이상 1[C] 이하의 전류로 역충전하는 경우 5시간 이내에 안전장치가 작동하여야 하며 외관이 부풀어 오르거나 누액 등이 생기지 아니할 것

11 각 설비와 비상전원의 최소용량 연결이 틀린 것은? [17년 1회]

① 비상콘센트설비 – 20분 이상

② 제연설비 – 20분 이상

③ 비상경보설비 – 20분 이상

④ 무선통신보조설비의 증폭기 – 30분 이상

해설 각 설비의 비상전원의 용량

설비의 종류	비상전원용량
자동화재탐지설비, 자동화재속보설비, 비상경보설비	10분 이상
제연설비, 비상콘센트설비, 옥내소화전설비, 유도등	20분 이상
무선통신보조설비의 증폭기	30분 이상
유도등, 비상조명등(지하상가 및 11층 이상)	60분 이상

12 각 소방설비별 비상전원의 종류와 비상전원 최소용량의 연결이 틀린 것은?(단, 소방설비-비상전원의 종류-비상전원 최소용량 순서이다) [18년 4회]

① 자동화재탐지설비-축전비설비-20분

② 비상조명등설비-축전지설비 또는 자가발전설비-20분

③ 할로겐화합물 및 불활성기체소화설비-축전지설비 또는 자가발전설비-20분

④ 유도등-축전지설비-20분

해설 11번 해설 참조

CHAPTER 02 피난구조설비

제1절 유도등 및 유도표지

1 종 류

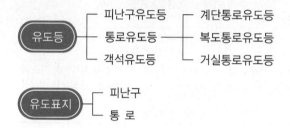

유도등
- 피난구유도등
- 통로유도등 ── 계단통로유도등 / 복도통로유도등 / 거실통로유도등
- 객석유도등

유도표지
- 피난구
- 통 로

2 용어 정의

① **유도등** : 화재 시에 피난을 유도하기 위한 등으로서 정상상태에서는 상용전원에 따라 켜지고 상용전원이 정전되는 경우에는 비상전원으로 자동전환되어 켜지는 등

② **피난구유도등** : 피난구 또는 피난경로로 사용되는 출입구를 표시하여 피난을 유도하는 등

③ **통로유도등** : 피난통로를 안내하기 위한 유도등으로 복도통로유도등, 거실통로유도등, 계단통로유도등

④ **복도통로유도등** : 피난통로가 되는 복도에 설치하는 통로유도등으로서 피난구의 방향을 명시하는 것을 말한다.

⑤ **거실통로유도등** : 거주, 집무, 작업, 집회, 오락 그 밖에 이와 유사한 목적을 위하여 계속적으로 사용하는 거실, 주차장 등 개방된 통로에 설치하는 유도등으로 피난의 방향을 명시하는 것을 말한다.

⑥ **계단통로유도등** : 피난통로가 되는 계단이나 경사로에 설치하는 통로유도등으로 바닥면 및 디딤바닥면을 비추는 것

⑦ **객석유도등** : 객석의 통로, 바닥 또는 벽에 설치하는 유도등

⑧ **표시면** : 유도등에 있어서 피난구나 피난방향을 안내하기 위한 문자 또는 부호 등이 표시된 면

⑨ **조사면** : 유도등에 있어서 표시면 외 조명에 사용되는 면

안심Touch

3 특정소방대상물별 유도등 및 유도표지의 종류

설치장소	유도등 및 유도표지의 종류
① 공연장·집회장(종교집회장 포함)·관람장·운동시설	• 대형피난구유도등
② 유흥주점영업(유흥주점영업 중 손님이 춤을 출 수 있는 무대가 설치된 카바레, 나이트클럽 또는 그 밖에 이와 비슷한 영업시설만 해당한다)	• 통로유도등 • 객석유도등
③ 위락시설·판매시설·운수시설·관광숙박업·의료시설·장례식·방송통신시설·전시장·지하상가·지하철역사	• 대형피난구유도등 • 통로유도등
④ 숙박시설(③의 관광숙박업 외의 것을 말한다)·오피스텔	• 중형피난구유도등 • 통로유도등
⑤ ①부터 ③까지 외의 건축물로서 지하층·무창층 및 11층 이상인 특정소방대상물	
⑥ ①부터 ⑤까지 외의 건축물로서 근린생활시설·노유자시설·업무시설·발전시설·종교시설(집회장 용도로 사용되는 부분 제외)·교육연구시설·수련시설·공장·창고시설·교정 및 군사시설(국방·군사시설 제외)·기숙사·자동차정비공장·운전학원 및 정비학원·다중이용업소·복합건축물·아파트	• 소형피난구유도등 • 통로유도등
⑦ 그 밖의 것	• 피난구유도표지 • 통로유도표지

비고 : 1. 소방서장은 특정소방대상물의 위치·구조 및 설비의 상황을 판단하여 대형피난구유도등을 설치하여야 할 장소에 중형피난구유도등 또는 소형피난구유도등을, 중형피난구유도등을 설치하여야 할 장소에 소형피난구유도등을 설치하게 할 수 있다.
2. 복합건축물과 아파트의 경우 주택의 세대 내에는 유도등을 설치하지 아니할 수 있다.

4 유도등

(1) 설치기준

① 피난구유도등
 ㉠ 피난구유도등은 피난구의 바닥으로부터 높이 1.5[m] 이상으로 출입구에 인접하여 설치하여야 한다.
 ㉡ 피난구유도등의 조명도는 피난구로부터 30[m] 떨어진 거리에서 문자 및 색채를 쉽게 식별할 수 있는 것으로 하여야 한다(단, 비상전원인 경우는 20[m]).
 ㉢ 피난구유도등의 설치장소
  ⓐ 옥내로부터 직접 지상으로 통하는 출입구 및 그 부속실의 출입구
  ⓑ 직통계단·직통계단의 계단실 및 그 부속실의 출입구
  ⓒ 출입구에 이르는 복도 또는 통로로 통하는 출입구
  ⓓ 안전 구획된 거실로 통하는 출입구
 ㉣ 피난구유도등은 녹색바탕에 백색문자로 피난방향을 표시한 등

② 통로유도등
　㉠ 복도통로유도등
　　ⓐ 복도에 설치하되 옥내로부터 직접 지상으로 통하는 출입구 및 그 부속실의 출입구 또는 직통계단·직통계단의 계단실 및 그 부속실의 출입구에 따라 피난구유도등이 설치된 출입구의 맞은편 복도에는 입체형으로 설치하거나, 바닥에 설치할 것
　　ⓑ 구부러진 모퉁이 및 ⓐ에 따라 설치된 통로유도등을 기점으로 보행거리 20[m]마다 설치할 것

$$유도등 \ 수량 = 구부러진 \ 모퉁이 + \left(\frac{보행거리[m]}{20[m]} - 1 \right) (소수점 \ 이하 \ 절상)$$

　　ⓒ 바닥으로부터 높이 1[m] 이하의 위치에 설치할 것. 다만, 지하층 또는 무창층의 용도가 도매시장·소매시장·여객자동차터미널·지하역사 또는 지하상가인 경우에는 복도·통로 중앙부분의 바닥에 설치하여야 한다.
　　ⓓ 바닥에 설치하는 통로유도등은 하중에 따라 파괴되지 아니하는 강도의 것으로 할 것
　　ⓔ 상용전원 시 30[m], 비상전원 시 20[m] 위치에서 보통시력으로 식별 가능할 것
　㉡ 거실통로유도등
　　ⓐ 거실의 통로에 설치할 것. 다만, 거실의 통로가 벽체 등으로 구획된 경우에는 복도통로유도등을 설치하여야 한다.
　　ⓑ 구부러진 모퉁이 및 보행거리 20[m]마다 설치할 것

$$유도등 \ 수량 = 구부러진 \ 모퉁이 + \left(\frac{보행거리[m]}{20[m]} - 1 \right) (소수점 \ 이하 \ 절상)$$

　　ⓒ 바닥으로부터 높이 1.5[m] 이상의 위치에 설치할 것. 다만, 거실통로에 기둥이 설치된 경우에는 기둥 부분의 바닥으로부터 높이 1.5[m] 이하의 위치에 설치할 수 있다.
　㉢ 계단통로유도등
　　ⓐ 각 층의 경사로참 또는 계단참마다(1개층에 경사로참 또는 계단참이 2 이상 있는 경우에는 2개의 계단참마다) 설치할 것
　　ⓑ 바닥으로부터 높이 1[m] 이하의 위치에 설치할 것
　㉣ 통행에 지장이 없도록 설치할 것
　㉤ 주위에 이와 유사한 등화광고물·게시물 등을 설치하지 아니할 것
　㉥ 통로유도등은 백색바탕에 녹색문자로 피난방향을 표시한 등으로 할 것
　㉦ 조도는 통로유도등의 바로 밑의 바닥으로부터 수평으로 0.5[m] 떨어진 지점에서 측정하여 1[lx] 이상(바닥에 매설한 것에 있어서는 통로유도등의 직상부 1[m]의 높이에서 측정하여 1[lx] 이상)일 것

③ 객석유도등

　　㉠ 객석의 통로, 바닥 또는 벽에 설치하는 유도등을 말한다.

　　㉡ 객석 내의 통로가 경사로 또는 수평으로 되어 있는 부분에 있어서는 다음의 식에 의하여 산출한 수(소수점 이하의 수는 1로 본다)의 유도등을 설치하여야 한다.

$$설치개수 = \frac{객석의\ 통로의\ 직선\ 부분의\ 길이[m]}{4} - 1$$

　　（객석유도등은 바닥면 또는 디딤바닥면에서 높이 0.5[m]의 위치에 설치하고 유도등의 바로 밑에서 0.3[m] 떨어진 위치에서의 수평조도가 0.2[lx] 이상일 것）

(2) 설치제외

① 피난구유도등 설치제외

　　㉠ 바닥면적이 1,000[m²] 미만인 층으로서 옥내로부터 직접 지상으로 통하는 출입구(외부의 식별이 용이한 경우에 한한다)

　　㉡ 대각선 길이가 15[m] 이내인 구획된 실의 출입구

　　㉢ 거실 각 부분으로부터 하나의 출입구에 이르는 보행거리가 20[m] 이하이고 비상조명등과 유도표지가 설치된 거실의 출입구

　　㉣ 출입구가 3 이상 있는 거실로서 그 거실 각 부분으로부터 하나의 출입구에 이르는 보행거리가 30[m] 이하인 경우에는 주된 출입구 2개소 외의 출입구(유도표지가 부착된 출입구를 말한다). 다만, 공연장·집회장·관람장·전시장·판매시설·운수시설·숙박시설·노유자시설·의료시설·장례식장 제외

② 통로유도등의 설치제외장소

　　㉠ 구부러지지 아니한 복도 또는 통로로서 길이가 30[m] 미만인 복도 또는 통로

　　㉡ 복도 또는 통로로서 보행거리가 20[m] 미만이고 그 복도 또는 통로와 연결된 출입구 또는 그 부속실의 출입구에 피난구유도등이 설치된 복도 또는 통로

③ 객석유도등의 설치제외장소

　　㉠ 주간에만 사용하는 장소로서 채광이 충분한 객석

　　㉡ 거실 등의 각 부분으로부터 하나의 거실 출입구에 이르는 보행거리가 20[m] 이하인 객석의 통로로서 그 통로에 통로유도등이 설치된 객석

5 유도등의 전원 및 배선

① 전 원

　　전원은 축전지, 전기저장장치(외부 전기에너지를 저장해 두었다가 필요한 때 전기를 공급하는 장치) 또는 교류전압의 옥내간선으로 하고, 전원까지의 배선은 전용

② 비상전원 설치기준

　　㉠ 축전지로 할 것

　　㉡ 유도등을 20분 이상 유효하게 작동시킬 수 있는 용량. 다만, 다음 특정소방대상물의 경우 그 부분에서 피난층에 이르는 부분의 유도등을 60분 이상 유효하게 작동시킬 수 있는 용량으로 하여야 한다.

　　　　ⓐ 지하층을 제외한 층수가 11층 이상의 층

　　　　ⓑ 지하층 또는 무창층으로서 용도가 도매시장·소매시장·여객자동차터미널·지하역사 또는 지하상가

③ 배선기준

　　㉠ 유도등의 인입선과 옥내배선은 직접 연결할 것

　　㉡ 유도등은 전기회로에 점멸기를 설치하지 아니하고 항상 점등상태를 유지할 것

　　※ 다만, 특정소방대상물 또는 그 부분에 사람이 없거나 다음의 어느 하나에 해당하는 장소로서 3선식 배선에 따라 상시 충전되는 구조인 경우에는 그러하지 아니하다.

　　　• 외부광(光)에 따라 피난구 또는 피난방향을 쉽게 식별할 수 있는 장소

　　　• 공연장, 암실(暗室) 등으로서 어두워야 할 필요가 있는 장소

　　　• 특정소방대상물의 관계인 또는 종사원이 주로 사용하는 장소

④ 3선식 배선에 따라 상시 충전되는 유도등의 전기회로에 점멸기를 설치하는 경우 다음에 해당 시 점등되어야 한다.

　　㉠ 자동화재탐지설비의 감지기 또는 발신기가 작동되는 때

　　㉡ 비상경보설비의 발신기가 작동되는 때

　　㉢ 상용전원이 정전되거나 전원선이 단선되는 때

　　㉣ 방재업무를 통제하는 곳 또는 전기실의 배전반에서 수동으로 점등하는 때

　　㉤ 자동소화설비가 작동되는 때

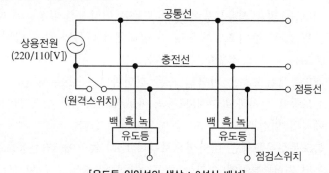

[유도등 인입선의 색상 : 3선식 배선]

백색 : 공통선, 흑색 : 충전선, 적색 : 점등선

⑤ 유도등 형식승인 및 조도시험

　ⓐ 유도등 형식승인

　　ⓐ 사용전압은 300[V] 이하이어야 한다. 다만, 충전부가 노출되지 아니한 것은 300[V]를 초과할 수 있다.

　　ⓑ 전선의 굵기는 인출선인 경우에는 단면적이 0.75[mm²] 이상, 인출선 외의 경우에는 면적이 0.5[mm²] 이상이어야 한다.

　　ⓒ 인출선의 길이는 전선인출 부분으로부터 150[mm] 이상이어야 한다. 다만, 인출선으로 하지 아니할 경우에는 풀어지지 아니하는 방법으로 전선을 쉽고 확실하게 부착할 수 있도록 접속단자를 설치하여야 한다.

　　ⓓ 극성이 있는 경우에는 오접속을 방지하기 위하여 필요한 조치를 하여야 한다.

　　ⓔ 외부에는 쉽게 사람이 접촉할 우려가 있는 충전부는 충분히 보호되어야 한다.

　　ⓕ 예비전원은 다음에 적합하게 설치하여야 한다.

　　　• 유도등의 주전원으로 사용하여서는 아니 된다.

　　　• 인출선을 사용하는 경우에는 적당한 색깔에 의하여 쉽게 구분할 수 있어야 한다.

　　　• 먼지, 수분 등에 의하여 성능에 지장이 생길 우려가 있는 부분은 적당한 보호커버를 설치하여야 한다.

　　　• 유도등의 예비전원은 알칼리계, 리튬계 2차 축전지(이하 "축전지"라 한다) 또는 콘덴서(이하 "축전기"라 한다)이어야 한다.

　　　• 전기적 기구에 의한 자동충전장치 및 자동과충전방지장치를 설치하여야 한다. 다만, 과충전상태가 되어도 성능 또는 구조에 이상이 생기지 아니하는 예비전원을 설치할 경우에는 자동과충전방지장치를 설치하지 아니할 수 있다.

　　　• 예비전원을 병렬로 접속하는 경우는 역충전방지 등의 조치를 강구하여야 한다.

　ⓛ 조도시험

　　통로유도등 및 객석유도등은 그 유도등은 비상전원의 성능에 따라 유효점등시간 동안 등을 켠 후 주위조도가 0[lx]인 상태에서 다음과 같은 방법으로 측정하는 경우, 그 조도는 다음에 적합하여야 한다.

　　ⓐ 계단통로유도등은 바닥면 또는 디딤바닥면으로부터 높이 2.5[m]의 위치에 그 유도등을 설치하고 그 유도등의 바로 밑으로부터 수평거리로 10[m] 떨어진 위치에서의 법선조도가 0.5[lx] 이상이어야 한다.

　　ⓑ 복도통로유도등은 바닥면으로부터 1[m] 높이에, 거실통로유도등은 바닥면으로부터 2[m] 높이에 설치하고 그 유도등의 중앙으로부터 0.5[m] 떨어진 위치의 바닥면 조도와 유도등의 전면 중앙으로부터 0.5[m] 떨어진 위치의 조도가 1[lx] 이상이어야 한다. 다만, 바닥면에 설치하는 통로유도등은 그 유도등의 바로 윗부분 1[m]의 높이에서 법선조도가 1[lx] 이상이어야 한다.

ⓒ 객석유도등은 바닥면 또는 디딤바닥면에서 높이 0.5[m]의 위치에 설치하고 그 유도등의 바로 밑에서 0.3[m] 떨어진 위치에서의 수평조도가 0.2[lx] 이상이어야 한다.

⑥ **부품의 구조 및 기능**

㉠ 스위치 : 각 접점의 최대사용전압으로 최대사용전류의 200[%]인 전류를 저항부하를 통하여 흘리는 작동을 1만회(전원스위치의 경우에는 5천회) 반복하는 경우 그 구조 또는 기능에 이상이 생기지 아니하여야 한다.

㉡ 표시등

ⓐ 전구는 2개 이상을 병렬로 접속하여야 한다. 다만, 방전등 또는 발광다이오드의 경우에는 그러하지 아니하다.

ⓑ 유도등은 정격사용전압에서 AC점등, DC점등, 소등의 반복을 1회로 하여 2,500회의 작동을 반복 실시하는 경우 그 구조 또는 기능에 이상이 생기지 아니하여야 한다.

6 유도표지

(1) 종 류

① **피난구유도표지** : 피난구 또는 피난경로로 사용되는 출입구를 표시하여 유도하는 표지
② **통로유도표지** : 피난통로가 되는 복도, 계단 등에 설치하여 피난구의 방향을 표시하는 유도표지
③ **피난유도선** : 햇빛이나 전등불에 따라 축광(이하 "축광방식"이라 한다)하거나 전류에 따라 빛을 발하는(이하 "광원점등방식"이라 한다) 유도체로서 어두운 상태에서 피난을 유도할 수 있도록 띠 형태로 설치되는 피난유도시설

(2) 설치기준

① 계단에 설치하는 것을 제외하고는 각 층마다 복도 및 통로의 각 부분으로부터 하나의 유도표지까지의 보행거리가 15[m] 이하가 되는 곳과 구부러진 모퉁이의 벽에 설치할 것
② 피난유도표지는 출입구 상단에 설치하고, 통로유도표지는 바닥으로부터 높이 1[m] 이하의 위치에 설치할 것
③ 주위에는 이와 유사한 등화·광고물·게시물 등을 설치하지 아니할 것
④ 유도표지는 부착판 등을 사용하여 쉽게 떨어지지 아니하도록 설치할 것
⑤ 축광방식의 유도표지는 외광 또는 조명장치에 의하여 상시 조명이 제공되거나 비상조명등에 의한 조명이 제공되도록 설치할 것

(3) 설치제외

① 유도등이 규정에 적합하게 설치된 출입구·복도·계단 및 통로

② 바닥면적이 1,000[m²] 미만인 층으로서 옥내로부터 직접 지상으로 통하는 출입구

③ 대각선 길이가 15[m] 이내인 구획된 실의 출입구

④ 구부러지지 아니한 복도 또는 통로로서 길이가 30[m] 미만인 복도 또는 통로

⑤ ④에 해당되지 아니하는 복도 또는 통로로서 보행거리가 20[m] 미만이고 그 복도 또는 통로와 연결된 출입구 또는 그 부속실의 출입구에 피난구유도등이 설치된 복도 또는 통로

(4) 피난유도선 설치기준

① 축광방식의 피난유도선 설치기준

 ㉠ 구획된 각 실로부터 주출입구 또는 비상구까지 설치할 것

 ㉡ 바닥으로부터 높이 50[cm] 이하의 위치 또는 바닥 면에 설치할 것

 ㉢ 피난유도 표시부는 50[cm] 이내의 간격으로 연속되도록 설치

 ㉣ 부착대에 의하여 견고하게 설치할 것

 ㉤ 외광 또는 조명장치에 의하여 상시 조명이 제공되거나 비상조명등에 의한 조명이 제공되도록 설치할 것

② 광원점등방식의 피난유도선 설치기준

 ㉠ 구획된 각 실로부터 주출입구 또는 비상구까지 설치할 것

 ㉡ 피난유도 표시부는 바닥으로부터 높이 1[m] 이하의 위치 또는 바닥 면에 설치할 것

 ㉢ 피난유도 표시부는 50[cm] 이내의 간격으로 연속되도록 설치하되 실내장식물 등으로 설치가 곤란할 경우 1[m] 이내로 설치할 것

 ㉣ 수신기로부터의 화재신호 및 수동조작에 의하여 광원이 점등되도록 설치할 것

 ㉤ 비상전원이 상시 충전상태를 유지하도록 설치할 것

 ㉥ 바닥에 설치되는 피난유도 표시부는 매립하는 방식을 사용할 것

 ㉦ 피난유도 제어부는 조작 및 관리가 용이하도록 바닥으로부터 0.8[m] 이상 1.5[m] 이하의 높이에 설치할 것

(5) 축광표지의 성능인증 및 제품검사의 기술기준

① 표시면의 크기

종 류	긴 변의 길이[mm]	짧은 변의 길이[mm]
피난구 축광유도표지	360 이상	120 이상
통로 축광유도표지	250 이상	85 이상

② 식별도 시험

　㉠ 축광유도표지 및 축광위치표지는 200[lx] 밝기의 광원으로 20분간 조사시킨 상태에서 다시 주위조도를 0[lx]로 하여 60분간 발광시킨 후 직선거리 20[m](축광위치표지의 경우 10[m]) 떨어진 위치에서 유도표지 또는 위치표지가 있다는 것이 식별되어야 하고, 유도표지는 직선거리 3[m]의 거리에서 표시면의 표시 중 주체가 되는 문자 또는 주체가 되는 화살표 등이 쉽게 식별되어야 한다.

　㉡ 보조축광표지는 200[lx] 밝기의 광원으로 20분간 조사시킨 상태에서 다시 주위조도를 0[lx]로 하여 60분간 발광시킨 후 직선거리 10[m] 떨어진 위치에서 보조축광표지가 있다는 것이 식별되어야 한다(측정자 조건은 ①을 따른다).

③ 휘도 시험 : 축광유도표지 및 축광위치표지의 표시면을 0[lx] 상태에서 1시간 이상 방치한 후 200[lx] 밝기의 광원으로 20분간 조사시킨 상태에서 다시 주위조도를 0[lx]로 하여 휘도 시험을 실시하는 경우 다음에 적합하여야 한다.

발광시간	휘 도
5분간 발광시킨 후	$110[mcd/m^2]$ 이상
10분간 발광시킨 후	$50[mcd/m^2]$ 이상
20분간 발광시킨 후	$24[mcd/m^2]$ 이상
60분간 발광시킨 후	$7[mcd/m^2]$ 이상

[유도등의 설치거리 및 장소 비교]

종 류	복도통로유도등	거실통로유도등	계단통로유도등	객석유도등
설치기준	보행거리 20[m]마다 구부러진 모퉁이	보행거리 20[m]마다 구부러진 모퉁이	각 층의 경사로참 또는 계단참마다 설치	객석통로 직선부분 4[m]마다
설치장소	복도, 바닥의 통로	거실의 통로	경사로참, 계단참	객석 내 통로
설치높이	바닥으로부터 높이 1[m] 이하	바닥으로부터 높이 1.5[m] 이상	바닥으로부터 높이 1[m] 이하	바닥, 디딤바닥면에서 높이 0.5[m]
조도시험	1[lx]	1[lx]	0.5[lx]	0.2[lx]

※ 유도등의 형식승인 및 제품검사의 기술기준

　• 투광식 : 광원의 빛이 통과하는 투과면에 피난유도표시 형상을 인쇄하는 방식을 말한다.

　• 패널식 : 영상표시소자(LED, LCD 및 PDP 등)를 이용하여 피난유도표시 형상을 영상으로 구현하는 방식을 말한다.

01 객석유도등을 설치하여야 하는 특정소방대상물의 대상으로 옳은 것은? [17년 1회]

① 운수시설

② 운동시설

③ 의료시설

④ 근린생활시설

해설 **특정소방대상물별 유도등 및 유도표지의 종류**

설치장소	유도등 및 유도표지의 종류
① 공연장·집회장(종교집회장 포함)·관람장·운동시설	• 대형피난구유도등
② 유흥주점영업(유흥주점영업 중 손님이 춤을 출 수 있는 무대가 설치된 카바레, 나이트클럽 또는 그 밖에 이와 비슷한 영업시설만 해당한다)	• 통로유도등 • 객석유도등
③ 위락시설·판매시설·운수시설·관광숙박업·의료시설·장례식·방송통신시설·전시장·지하상가·지하철역사	• 대형피난구유도등 • 통로유도등
④ 숙박시설(③의 관광숙박업 외의 것을 말한다)·오피스텔	• 중형피난구유도등 • 통로유도등
⑤ ①부터 ③까지 외의 건축물로서 지하층·무창층 및 11층 이상인 특정소방대상물	
⑥ ①부터 ⑤까지 외의 건축물로서 근린생활시설·노유자시설·업무시설·발전시설·종교시설(집회장 용도로 사용되는 부분 제외)·교육연구시설·수련시설·공장·창고시설·교정 및 군사시설(국방·군사시설 제외)·기숙사·자동차정비공장·운전학원 및 정비학원·다중이용업소·복합건축물·아파트	• 소형피난구유도등 • 통로유도등
⑦ 그 밖의 것	• 피난구유도표지 • 통로유도표지

비고 : 1. 소방서장은 특정소방대상물의 위치·구조 및 설비의 상황을 판단하여 대형피난구유도등을 설치하여야 할 장소에 중형피난구유도등 또는 소형피난구유도등을, 중형피난구유도등을 설치하여야 할 장소에 소형피난구유도등을 설치하게 할 수 있다.
2. 복합건축물과 아파트의 경우 주택의 세대 내에는 유도등을 설치하지 아니할 수 있다.

02 유도등 및 유도표지의 화재안전기준(NFSC 303)에 따라 운동시설에 설치하지 아니할 수 있는 유도등은? [19년 1회]

① 통로유도등

② 객석유도등

③ 대형피난구유도등

④ 중형피난구유도등

해설 1번 해설 참조

03 유도등 및 유도표지의 화재안전기준(NFSC 303)에 따른 피난구유도등의 설치장소로 틀린 것은? [20년 3회]

① 직통계단
② 직통계단의 계단실
③ 안전구획된 거실로 통하는 출입구
④ 옥외로부터 직접 지하로 통하는 출입구

해설 **피난구유도등의 설치장소**
• 옥내로부터 직접 지상으로 통하는 출입구 및 그 부속실의 출입구
• 직통계단·직통계단의 계단실 및 그 부속실의 출입구
• 출입구에 이르는 복도 또는 통로로 통하는 출입구
• 안전구획된 거실로 통하는 출입구

04 계단통로유도등은 각층의 경사로 참 또는 계단참마다 설치하도록 하고 있는데 1개층에 경사로 참 또는 계단참이 2 이상 있는 경우에는 몇 개의 계단참마다 계단통로유도등을 설치하여야 하는가? [19년 1회]

① 2개
② 3개
③ 4개
④ 5개

해설 **계단통로유도등**
• 각 층의 경사로참 또는 계단참마다(1개층에 경사로참 또는 계단참이 2 이상 있는 경우에는 2개의 계단참마다) 설치할 것
• 바닥으로부터 높이 1[m] 이하의 위치에 설치할 것

05 유도등 및 유도표지의 화재안전기준(NFSC 303)에 따른 통로유도등의 설치기준에 대한 설명으로 틀린 것은?

[19년 4회]

① 복도·거실통로유도등은 구부러진 모퉁이 및 보행거리 20[m]마다 설치
② 복도·계단통로유도등은 바닥으로부터 높이 1[m] 이하의 위치에 설치
③ 통로유도등은 녹색바탕에 백색으로 피난방향을 표시한 등으로 할 것
④ 거실통로유도등은 바닥으로부터 높이 1.5[m] 이상의 위치에 설치

해설 **통로유도등 설치기준**
• 통행에 지장이 없도록 설치할 것
• 주위에 이와 유사한 등화광고물·게시물 등을 설치하지 아니할 것
• 통로유도등은 백색바탕에 녹색문자로 피난방향을 표시한 등으로 할 것
• 조도는 통로유도등의 바로 밑의 바닥으로부터 수평으로 0.5[m] 떨어진 지점에서 측정하여 1[lx] 이상(바닥에 매설한 것에 있어서는 통로유도등의 직상부 1[m]의 높이에서 측정하여 1[lx] 이상)일 것

핵심
예제

06 유도등 및 유도표지의 화재안전기준(NFSC 303)에 따라 객석유도등을 설치하여야 하는 장소로 틀린 것은?

[20년 4회]

① 벽
② 천 장
③ 바 닥
④ 통 로

해설 **객석유도등**
• 객석의 통로, 바닥 또는 벽에 설치하는 유도등을 말한다.
• 객석 내의 통로가 경사로 또는 수평으로 되어 있는 부분에 있어서는 다음의 식에 의하여 산출한 수(소수점 이하의 수는 1로 본다)의 유도등을 설치하여야 한다.

$$설치개수 = \frac{객석의\ 통로의\ 직선\ 부분의\ 길이[m]}{4} - 1$$

(객석유도등은 바닥면 또는 디딤바닥면에서 높이 0.5[m]의 위치에 설치하고 유도등의 바로 밑에서 0.3[m] 떨어진 위치에서의 수평조도가 0.2[lx] 이상일 것)

07 유도등 및 유도표지의 화재안전기준(NFSC 303)에 따른 객석유도등의 설치기준이다. 다음 ( )에 들어갈 내용으로 옳은 것은? [21년 2회]

> 객석유도등은 객석의 (㉠), (㉡) 또는 (㉢)에 설치하여야 한다.

① ㉠ 통로, ㉡ 바닥, ㉢ 벽
② ㉠ 바닥, ㉡ 천장, ㉢ 벽
③ ㉠ 통로, ㉡ 바닥, ㉢ 천장
④ ㉠ 바닥, ㉡ 통로, ㉢ 출입구

해설 6번 해설 참조

08 객석 내의 통로가 경사로 또는 수평로로 되어있는 부분에 설치하여야 하는 객석유도등의 설치개수 산출 공식으로 옳은 것은? [18년 2회]

① $\dfrac{\text{객석통로의 직선부분의 길이[m]}}{3} - 1$

② $\dfrac{\text{객석통로의 직선부분의 길이[m]}}{4} - 1$

③ $\dfrac{\text{객석통로의 넓이[m}^2\text{]}}{3} - 1$

④ $\dfrac{\text{객석통로의 넓이[m}^2\text{]}}{4} - 1$

해설 6번 해설 참조

09 객석 통로의 직선부분의 길이가 25[m]인 영화관의 통로에 객석유도등을 설치하는 경우 최소 설치개수는? [17년 2회]

① 5
② 6
③ 7
④ 8

해설
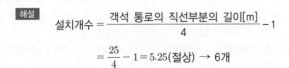

$$\text{설치개수} = \frac{\text{객석 통로의 직선부분의 길이[m]}}{4} - 1$$

$$= \frac{25}{4} - 1 = 5.25(\text{절상}) \rightarrow 6개$$

10 객석 내의 통로의 직선부분의 길이가 85[m]이다. 객석유도등을 몇 개 설치하여야 하는가?

[19년 2회]

① 17개

② 19개

③ 21개

④ 22개

해설

$$설치개수 = \frac{객석 \ 통로의 \ 직선부분의 \ 길이[m]}{4} - 1$$

$$= \frac{85}{4} - 1 = 20.25(절상) \rightarrow 21개$$

11 유도등의 형식승인 및 제품검사의 기술기준에 따라 객석유도등은 바닥면 또는 디딤바닥면에서 높이 0.5[m]의 위치에 설치하고 그 유도등의 바로 밑에서 0.3[m] 떨어진 위치에서의 수평조도가 몇 [lx] 이상이어야 하는가?

[21년 1회]

① 0.1

② 0.2

③ 0.5

④ 1

해설 유도등의 조도시험

통로유도등 및 객석유도등은 그 유도등은 비상전원의 성능에 따라 유효점등시간 동안 등을 켠 후 주위조도가 0[lx]인 상태에서 다음과 같은 방법으로 측정하는 경우, 그 조도는 다음에 적합하여야 한다.

- 계단통로유도등은 바닥면 또는 디딤바닥면으로부터 높이 2.5[m]의 위치에 그 유도등을 설치하고 그 유도등의 바로 밑으로부터 수평거리로 10[m] 떨어진 위치에서의 법선조도가 0.5[lx] 이상이어야 한다.
- 복도통로유도등은 바닥면으로부터 1[m] 높이에, 거실통로유도등은 바닥면으로부터 2[m] 높이에 설치하고 그 유도등의 중앙으로부터 0.5[m] 떨어진 위치의 바닥면 조도와 유도등의 전면 중앙으로부터 0.5[m] 떨어진 위치의 조도가 1[lx] 이상이어야 한다. 다만, 바닥면에 설치하는 통로유도등은 그 유도등의 바로 윗부분 1[m]의 높이에서 법선조도가 1[lx] 이상이어야 한다.
- 객석유도등은 바닥면 또는 디딤바닥면에서 높이 0.5[m]의 위치에 설치하고 그 유도등의 바로 밑에서 0.3[m] 떨어진 위치에서의 수평조도가 0.2[lx] 이상이어야 한다.

12 객석유도등을 설치하지 아니하는 경우의 기준 중 다음 (   ) 안에 알맞은 것은? [18년 2회]

거실 등의 각 부분으로부터 하나의 거실 출입구에 이르는 보행거리가 (   )[m] 이하인 객석의 통로로서 그 통로에 통로유도등이 설치된 객석

① 15
② 20
③ 30
④ 50

해설 **객석유도등 설치제외**
• 주간에만 사용하는 장소로서 채광이 충분한 객석
• 거실 등의 각 부분으로부터 하나의 거실 출입구에 이르는 보행거리가 20[m] 이하인 객석의 통로로서 그 통로에 통로유도등이 설치된 객석

핵심
예제

13 유도등 및 유도표지의 화재안전기준(NFSC 303)에 따라 지하층을 제외한 층수가 11층 이상인 특정소방대상물의 유도등의 비상전원을 축전지로 설치한다면 피난층에 이르는 부분의 유도등을 몇 분 이상 유효하게 작동시킬 수 있는 용량으로 하여야 하는가?   [20년 1·2회]

① 10
② 20
③ 50
④ 60

해설 **유도등 비상전원 설치기준**
• 축전지로 할 것
• 유도등을 20분 이상 유효하게 작동시킬 수 있는 용량으로 할 것. 다만, 다음 특정소방대상물의 경우에는 그 부분에서 피난층에 이르는 부분의 유도등을 60분 이상 유효하게 작동시킬 수 있는 용량으로 하여야 한다.
  – 지하층을 제외한 층수가 11층 이상의 층
  – 지하층 또는 무창층으로서 용도가 도매시장·소매시장·여객자동차터미널·지하역사 또는 지하상가

14 **복도통로유도등의 식별도 기준 중 다음 (   ) 안에 알맞은 것은?** [18년 1회]

> 복도통로유도등에 있어서 사용전원으로 등을 켜는 경우에는 직선거리 (㉠)[m]의 위치에서, 비상전원으로 등을 켜는 경우에는 직선거리 (㉡)[m]의 위치에서 보통시력에 의하여 표시면의 화살표가 쉽게 식별되어야 한다.

① ㉠ 15, ㉡ 20

② ㉠ 20, ㉡ 15

③ ㉠ 30, ㉡ 20

④ ㉠ 20, ㉡ 30

해설 복도통로유도등에 있어서 사용전원으로 등을 켜는 경우에는 직선거리 20[m]의 위치에서, 비상전원으로 등을 켜는 경우에는 직선거리 15[m]의 위치에서 보통시력에 의하여 표시면의 화살표가 쉽게 식별되어야 한다.

**핵심
예제**

15 **유도등의 우수품질인증 기술기준에 따른 유도등의 일반구조에 대한 내용이다. 다음 (   )에 들어갈 내용으로 옳은 것은?** [20년 4회]

> 전선의 굵기는 인출선인 경우에는 단면적이 (ⓐ)[mm²] 이상, 인출선 외의 경우에는 면적이 (ⓑ)[mm²] 이상이어야 한다.

① ⓐ 0.75, ⓑ 0.5

② ⓐ 0.75, ⓑ 0.75

③ ⓐ 1.5, ⓑ 0.75

④ ⓐ 2.5, ⓑ 1.5

해설 유도등 형식승인
- 사용전압은 300[V] 이하이어야 한다. 다만, 충전부가 노출되지 아니한 것은 300[V]를 초과할 수 있다.
- 전선의 굵기는 인출선인 경우에는 단면적이 0.75[mm²] 이상, 인출선 외의 경우에는 면적이 0.5[mm²] 이상이어야 한다.
- 인출선의 길이는 전선인출 부분으로부터 150[mm] 이상이어야 한다. 다만, 인출선으로 하지 아니할 경우에는 풀어지지 아니하는 방법으로 전선을 쉽고 확실하게 부착할 수 있도록 접속단자를 설치하여야 한다.
- 극성이 있는 경우에는 오접속을 방지하기 위하여 필요한 조치를 하여야 한다.
- 외부에는 쉽게 사람이 접촉할 우려가 있는 충전부는 충분히 보호되어야 한다.

16 유도등 예비전원의 종류로 옳은 것은? [18년 4회]

① 알칼리계 2차 축전지
② 리튬계 1차 축전지
③ 리튬-이온계 2차 축전지
④ 수은계 1차 축전지

해설 **예비전원 설치기준**
• 유도등의 주전원으로 사용하여서는 아니 된다.
• 인출선을 사용하는 경우에는 적당한 색깔에 의하여 쉽게 구분할 수 있어야 한다.
• 먼지, 수분 등에 의하여 성능에 지장이 생길 우려가 있는 부분은 적당한 보호커버를 설치하여야 한다.
• 유도등의 예비전원은 알칼리계, 리튬계 2차 축전지(이하 "축전지"라 한다) 또는 콘덴서(이하 "축전기"라 한다)이어야 한다.
• 전기적 기구에 의한 자동충전장치 및 자동과충전방지장치를 설치하여야 한다. 다만, 과충전상태가 되어도 성능 또는 구조에 이상이 생기지 아니하는 예비전원을 설치할 경우에는 자동과충전방지장치를 설치하지 아니할 수 있다.
• 예비전원을 병렬로 접속하는 경우는 역충전방지 등의 조치를 강구하여야 한다.

17 유도등의 형식승인 및 제품검사의 기술기준에 따른 유도등의 일반구조에 대한 설명으로 틀린 것은? [20년 3회]

① 축전지에 배선 등을 직접 납땜하지 아니하여야 한다.
② 충전부가 노출되지 아니한 것은 300[V]를 초과할 수 있다.
③ 예비전원을 직렬로 접속하는 경우는 역충전 방지 등의 조치를 강구하여야 한다.
④ 유도등에는 점멸, 음성 또는 이와 유사한 방식 등에 의한 유도장치를 설치할 수 있다.

해설 16번 해설 참조

18 유도등 및 유도표지의 화재안전기준(NFSC 303)에 따라 유도표지는 각 층마다 복도 및 통로의 각 부분으로부터 하나의 유도표지까지의 보행거리가 몇 [m] 이하가 되는 곳과 구부러진 모퉁이의 벽에 설치하여야 하는가?(단, 계단에 설치하는 것은 제외한다)　　　[21년 2회]

① 5

② 10

③ 15

④ 25

해설 유도표지 설치기준
- 계단에 설치하는 것을 제외하고는 각 층마다 복도 및 통로의 각 부분으로부터 하나의 유도표지까지의 보행거리가 15[m] 이하가 되는 곳과 구부러진 모퉁이의 벽에 설치할 것
- 피난유도표지는 출입구 상단에 설치하고, 통로유도표지는 바닥으로부터 높이 1[m] 이하의 위치에 설치할 것
- 주위에는 이와 유사한 등화·광고물·게시물 등을 설치하지 아니할 것
- 유도표지는 부착판 등을 사용하여 쉽게 떨어지지 아니하도록 설치할 것
- 축광방식의 유도표지는 외광 또는 조명장치에 의하여 상시 조명이 제공되거나 비상조명등에 의한 조명이 제공되도록 설치할 것

**핵심
예제**

19 광원점등방식 피난유도선의 설치기준 중 틀린 것은?　　　[17년 1회]

① 피난유도 표시부는 50[cm] 이내의 간격으로 연속되도록 설치하되 실내장식물 등으로 설치가 곤란할 경우 2[m] 이내로 설치할 것

② 피난유도 표시부는 바닥으로부터 높이 1[m] 이하의 위치 또는 바닥면에 설치할 것

③ 피난유도 제어부는 조작 및 관리가 용이하도록 바닥으로부터 0.8[m] 이상 1.5[m] 이하의 높이에 설치할 것

④ 구획된 각 실로부터 주출입구 또는 비상구까지 설치할 것

해설 광원점등방식의 피난유도선 설치기준
- 구획된 각 실로부터 주출입구 또는 비상구까지 설치할 것
- 피난유도 표시부는 바닥으로부터 높이 1[m] 이하의 위치 또는 바닥 면에 설치할 것
- 피난유도 표시부는 50[cm] 이내의 간격으로 연속되도록 설치하되 실내장식물 등으로 설치가 곤란할 경우 1[m] 이내로 설치할 것
- 수신기로부터의 화재신호 및 수동조작에 의하여 광원이 점등되도록 설치할 것
- 비상전원이 상시 충전상태를 유지하도록 설치할 것
- 바닥에 설치되는 피난유도 표시부는 매립하는 방식을 사용할 것
- 피난유도 제어부는 조작 및 관리가 용이하도록 바닥으로부터 0.8[m] 이상 1.5[m] 이하의 높이에 설치할 것

20 유도등 및 유도표지의 화재안전기준(NFSC 303)에 따라 광원점등방식 피난유도선의 설치 기준으로 틀린 것은? [19년 4회]

① 구획된 각 실로부터 주출입구 또는 비상구까지 설치할 것

② 피난유도 표시부는 바닥으로부터 높이 1[m] 이하의 위치 또는 바닥 면에 설치할 것

③ 피난유도 제어부는 조작 및 관리가 용이하도록 바닥으로부터 0.8[m] 이상 1.5[m] 이하 의 높이에 설치할 것

④ 피난유도 표시부는 50[cm] 이내의 간격으로 연속되도록 설치하되 실내장식물 등으로 설치가 곤란할 경우 2[m] 이내로 설치할 것

해설 19번 해설 참조

21 축광방식의 피난유도선 설치기준 중 다음 ( ) 안에 알맞은 것은? [18년 4회]

> • 바닥으로부터 높이 (㉠)[cm] 이하의 위치 또는 바닥 면에 설치할 것
> • 피난유도 표시부는 (㉡)[cm] 이내의 간격으로 연속되도록 설치할 것

① ㉠ 50, ㉡ 50 ② ㉠ 50, ㉡ 100

③ ㉠ 100, ㉡ 50 ④ ㉠ 100, ㉡ 100

해설 **축광방식의 피난유도선 설치기준**
• 구획된 각 실로부터 주출입구 또는 비상구까지 설치할 것
• 바닥으로부터 높이 50[cm] 이하의 위치 또는 바닥 면에 설치할 것
• 피난유도 표시부는 50[cm] 이내의 간격으로 연속되도록 설치
• 부착대에 의하여 견고하게 설치할 것
• 외광 또는 조명장치에 의하여 상시 조명이 제공되거나 비상조명등에 의한 조명이 제공되도록 설치할 것

22 유도등의 형식승인 및 제품검사의 기술기준에 따라 영상표시소자(LED, LCD 및 PDP 등)를 이용하여 피난유도표시 형상을 영상으로 구현하는 방식은? [21년 1회]

① 투광식 ② 패널식

③ 방폭형 ④ 방수형

해설 **유도등의 형식승인 및 제품검사의 기술기준**
• 투광식 : 광원의 빛이 통과하는 투과면에 피난유도표시 형상을 인쇄하는 방식을 말한다.
• 패널식 : 영상표시소자(LED, LCD 및 PDP 등)를 이용하여 피난유도표시 형상을 영상으로 구현하는 방식을 말한다.

제2절 | 비상조명등(휴대용비상조명등)

1 개 요

화재발생 등에 의해 정전 시 안전하고 원활한 피난활동을 할 수 있도록 거실 및 피난통로 등에 설치하는 조명등으로서 비상전원용 축전지가 내장되어 상용전원이 정전되는 경우 비상전원으로 자동전환되어 점등되는 조명등을 말하며 정상상태 시 상용전원에 의하여 점등되는 것을 포함한다.
(휴대용 비상조명등 : 화재발생 등으로 정전 시 안전하고 원활한 피난을 위하여 피난자가 휴대할 수 있는 조명등을 말한다)

2 비상조명등 설치기준

① 특정소방대상물의 각 거실과 그로부터 지상에 이르는 복도·계단 및 그 밖의 통로에 설치할 것
② 조도는 비상조명등이 설치된 장소의 각 부분의 바닥에서 1[lx] 이상이 되도록 할 것
③ 예비전원을 내장하는 비상조명등에는 평상시 점등여부를 확인할 수 있는 점검스위치를 설치하고 해당 조명등을 유효하게 작동시킬 수 있는 용량의 축전지와 예비전원 충전장치를 내장할 것
④ 예비전원을 내장하지 아니하는 비상조명등의 비상전원은 자가발전설비, 축전지설비 또는 전기저장장치를 다음의 기준에 따라 설치하여야 한다.
　㉠ 점검에 편리하고 화재 및 침수 등의 재해로 인한 피해를 받을 우려가 없는 곳에 설치할 것
　㉡ 상용전원으로부터 전력의 공급이 중단된 때에는 자동으로 비상전원으로부터 전력을 공급받을 수 있도록 할 것
　㉢ 비상전원의 설치장소는 다른 장소와 방화구획할 것. 이 경우 그 장소에는 비상전원의 공급에 필요한 기구나 설비 외의 것을 두어서는 아니 된다.
　㉣ 비상전원을 실내에 설치하는 때에는 그 실내에 비상조명등을 설치할 것
⑤ ③과 ④에 따른 비상전원은 비상조명등을 20분 이상 유효하게 작동시킬 수 있는 용량으로 할 것. 다만, 다음의 특정소방대상물의 경우에는 그 부분에서 피난층에 이르는 부분의 비상조명등을 60분 이상 유효하게 작동시킬 수 있는 용량으로 하여야 한다.
　㉠ 지하층을 제외한 층수가 11층 이상의 층
　㉡ 지하층 또는 무창층으로서 용도가 도매시장·소매시장·여객자동차터미널·지하역사 또는 지하상가

⑥ 비상조명등의 설치면제 요건에서 "그 유도등의 유효범위 안의 부분"이란 유도등의 조도 가 바닥에서 1[lx] 이상이 되는 부분을 말한다.

3 휴대용 비상조명등 설치기준

① 다음 각 목의 장소에 설치할 것
  ㉠ 숙박시설 또는 다중이용업소에는 객실 또는 영업장 안의 구획된 실마다 잘 보이는 곳(외부에 설치 시 출입문 손잡이로부터 1[m] 이내 부분)에 1개 이상 설치
  ㉡ 대규모점포와 영화상영관에는 보행거리 50[m] 이내마다 3개 이상 설치
  ㉢ 지하상가 및 지하역사에는 보행거리 25[m] 이내마다 3개 이상 설치
② 설치높이는 바닥으로부터 0.8[m] 이상 1.5[m] 이하의 높이에 설치할 것
③ 어둠 속에서 위치를 확인할 수 있도록 할 것
④ 사용 시 자동으로 점등되는 구조일 것
⑤ 외함은 난연성능이 있을 것
⑥ 건전지를 사용하는 경우에는 방전방지조치를 하여야 하고, 충전식 배터리의 경우에는 상시 충전되도록 할 것
⑦ 건전지 및 충전식 배터리의 용량은 20분 이상 유효하게 사용할 수 있는 것으로 할 것

4 설치제외

(1) 비상조명등 설치제외

① 거실의 각 부분으로부터 하나의 출입구에 이르는 보행거리가 15[m] 이내인 부분
② 의원・경기장・공동주택・의료시설・학교의 거실

(2) 휴대용 비상조명등 설치제외

① 지상 1층 또는 피난층으로서 복도・통로 또는 창문 등의 개구부를 통하여 피난이 용이한 경우
② 숙박시설로서 복도에 비상조명등을 설치한 경우

5 비상조명등, 휴대용 비상조명등을 설치해야 하는 특정소방대상물

비상조명등	• 지하층을 포함하는 층수가 5층 이상인 건축물로서 연면적 3,000[m²] 이상인 것 • 지하층 또는 무창층의 바닥면적이 450[m²] 이상인 경우에는 그 지하층 또는 무창층 • 지하가 중 터널로서 그 길이가 500[m] 이상인 것
휴대용 비상조명등	• 숙박시설 • 수용인원 100명 이상의 영화상영관, 판매시설 중 대규모점포, 철도 및 도시철도 시설 중 지하역사, 지하가 중 지하상가

6 비상조명등의 형식승인 및 제품검사의 기술기준

(1) 일반구조

① 상용전원전압의 110[%] 범위 안에서는 비상조명등 내부의 온도상승이 그 기능에 지장을 주거나 위해를 발생시킬 염려가 없어야 할 것

② 사용전압은 300[V] 이하이어야 한다. 다만, 충전부가 노출되지 아니한 것은 300[V]를 초과할 수 있다.

③ 전선의 굵기가 인출선인 경우에는 단면적이 0.75[mm²] 이상, 인출선 외의 경우에는 단면적이 0.5[mm²] 이상일 것

④ 인출선의 길이는 전선인출 부분으로부터 150[mm] 이상일 것

⑤ 유효점등시간은 20분 이상으로 하며 20분 단위로 제조사가 설정

(2) 절연저항시험

비상조명등의 교류입력 측과 외함 사이, 절연된 교류입력 측과 충전부 사이 및 절연된 충전부의 외함 사이의 각각 절연저항은 직류 500[V]의 절연저항계로 측정한 값이 5[MΩ] 이상이어야 한다.

제2절 피난기구 : 화재 시 화재대상물 내의 인명을 피난시키기 위한 기구

1 용어 정의

① 피난밧줄 : 급격한 하강을 방지하기 위한 일정간격으로 매듭 등을 만들어 놓은 밧줄
② 구조대 : 자루형태로 만든 것으로 화재 시 사용자가 그 내부에 들어가서 내려옴으로써 대피할 수 있는 것
③ 간이완강기 : 사용자의 몸무게에 따라 자동적으로 내려올 수 있는 기구 중 사용자가 연속적으로 사용할 수 없는 것
④ 완강기 : 사용자의 몸무게에 따라 자동적으로 내려올 수 있는 기구 중 사용자가 교대하여 연속적으로 사용할 수 있는 것
⑤ 피난사다리 : 화재 시 긴급대피를 위한 사다리
⑥ 공기안전매트 : 화재발생 시 건축물 내에서 외부로 뛰어내릴 때 충격을 흡수하여 안전하게 지상에 도달할 수 있도록 포지에 공기 등을 주입하는 구조로 되어 있는 것
⑦ 다수인 피난장비 : 화재 시 2인 이상 동시에 해당 층에서 지상 또는 피난층으로 하강하는 피난기구
⑧ 승강식 피난기 : 사용자의 몸무게에 의하여 자동으로 하강하고 이후 스스로 상승하여 연속적으로 사용할 수 있는 무동력 승강식 피난기

2 피난기구 설치 수량

① 층마다 설치하되 다음 표에 따를 것

설치기준	사용장소
그 층의 바닥면적 500[m²]마다 1개 이상	의료시설, 숙박시설, 노유자시설
그 층의 바닥면적 800[m²]마다 1개 이상	판매시설, 위락시설, 문화집회 및 운동시설, 복합상가
그 층의 바닥면적 1,000[m²]마다 1개 이상	그 밖의 용도 층(기타)
각 세대마다 1개 이상	계단실형 아파트

② 피난기구 외에 숙박시설(휴양콘도미니엄 제외)의 경우에는 추가로 객실마다 완강기 또는 둘 이상의 간이완강기를 설치할 것
③ 피난기구 외에 아파트의 경우에는 하나의 관리주체가 관리하는 아파트 구역마다 공기안전매트 1개 이상을 추가로 설치할 것(단, 옥상으로 피난이 가능하거나 인접세대로 피난할 수 있는 구조인 경우는 제외)

3 소방대상물의 설치장소별 피난기구의 적응성

설치 장소별 구분 \ 층 별	지하층	1층	2층	3층	4~10층 이하
노유자시설	피난용 트랩	• 미끄럼대 • 구조대 • 피난교 • 다수인 피난장비 • 승강식 피난기	• 미끄럼대 • 구조대 • 피난교 • 다수인 피난장비 • 승강식 피난기	• 미끄럼대 • 구조대 • 피난교 • 다수인 피난장비 • 승강식 피난기	• 피난교 • 다수인 피난장비 • 승강식 피난기
의료시설 · 입원실이 있는 의원 · 접골원 · 조산원	피난용 트랩	–	–	• 미끄럼대 • 구조대 • 피난교 • 피난용 트랩 • 다수인 피난장비 • 승강식 피난기	• 구조대 • 피난교 • 피난용 트랩 • 다수인 피난장비 • 승강식 피난기
영업장의 위치가 4층 이하인 다중이용업소	–	–	• 미끄럼대 • 피난사다리 • 구조대 • 완강기 • 다수인 피난장비 • 승강식 피난기	• 미끄럼대 • 피난사다리 • 구조대 • 완강기 • 다수인 피난장비 • 승강식 피난기	• 미끄럼대 • 피난사다리 • 구조대 • 완강기 • 다수인 피난장비 • 승강식 피난기
그 밖의 것	• 피난사다리 • 피난용 트랩	–	–	• 미끄럼대 • 피난사다리 • 구조대 • 완강기 • 피난교 • 피난용 트랩 • 간이완강기 • 공기안전매트 • 다수인 피난장비 • 승강식 피난기	• 피난사다리 • 구조대 • 완강기 • 피난교 • 간이완강기 • 공기안전매트 • 다수인 피난장비 • 승강식 피난기

비고 : 간이완강기의 적응성은 숙박시설의 3층 이상에 있는 객실에, 공기안전매트의 적응성은 공동주택에 한한다.

4 피난기구의 설치기준

① 피난기구는 계단·피난구 기타 피난시설로부터 적당한 거리에 있는 안전한 구조로 된 피난 또는 소화활동상 유효한 개구부에 고정하여 설치(필요시 신속하고 유효하게 설치할 수 있는 상태에 둘 것)

② 개구부는 서로 동일직선상이 아닌 위치에 있을 것(단, 피난교·피난용 트랩·간이완강기·아파트에 설치되는 피난기구 기타 피난상 지장이 없는 것은 제외)

③ 피난기구는 소방대상물의 기둥·바닥·보 기타 구조상 견고한 부분에 볼트조임·매입·용접 기타의 방법으로 견고하게 부착할 것

④ 4층 이상의 층에 피난사다리를 설치 시(하향식 피난구용 내림식 사다리 제외) 금속성 고정사다리를 설치하고, 해당 고정사다리에는 쉽게 피난할 수 있는 구조의 노대를 설치할 것

⑤ 완강기는 강하 시 로프가 소방대상물과 접촉하여 손상되지 아니하도록 할 것

⑥ 완강기 로프의 길이는 부착위치에서 지면 또는 기타 피난상 유효한 착지면까지의 길이로 할 것

⑦ 미끄럼대는 안전한 강하속도를 유지하도록 하고, 전락방지를 위한 안전조치를 할 것

⑧ 구조대의 길이는 피난상 지장이 없고 안전한 강하속도를 유지할 수 있는 길이로 할 것

※ 피난기구를 설치한 장소에는 가까운 곳의 보기 쉬운 곳에 피난기구의 위치를 표시하는 발광식 또는 축광식 표지, 그 사용방법을 표시한 표지를 부착할 것

> **축광식 표지의 적합기준**
> • 방사성물질을 사용하는 위치표지는 쉽게 파괴되지 아니하는 재질로 할 것
> • 위치표지는 주위 조도 0[lx]에서 60분간 발광 후 직선거리가 축광유도표지는 20[m](축광위치표지는 10[m]) 떨어진 위치에서 보통시력으로 표시면의 문자 또는 화살표 등을 쉽게 식별할 수 있는 것으로 할 것
> • 위치표지의 표시면은 쉽게 변형·변질 또는 변색되지 아니할 것
> • 위치표지의 표시면의 휘도는 주위 조도 0[lx]에서 60분간 발광 후 7[mcd/m^2] 이상으로 할 것

5 피난기구의 설치제외

① 다음 기준에 적합한 층
  ㉠ 주요구조부가 내화구조로 되어 있어야 할 것
  ㉡ 실내의 면하는 부분의 마감이 불연재료·준불연재료 또는 난연재료로 되어 있고 방화구획이 규정에 적합하게 구획되어 있어야 할 것
  ㉢ 거실의 각 부분으로부터 직접 복도로 쉽게 통할 수 있어야 할 것
  ㉣ 복도에 2 이상의 특별피난계단 또는 피난계단이 규정에 적합하게 설치되어 있어야 할 것
  ㉤ 복도의 어느 부분에서도 2 이상의 방향으로 각각 다른 계단에 도달할 수 있어야 할 것

② 다음 기준에 적합한 특정소방대상물 중 그 옥상의 직하층 또는 최상층(관람집회 및 운동시설 또는 판매시설을 제외)
  ㉠ 주요구조부가 내화구조로 되어 있어야 할 것
  ㉡ 옥상의 면적이 1,500[m^2] 이상이어야 할 것

    ⓒ 옥상으로 쉽게 통할 수 있는 창 또는 출입구가 설치되어 있어야 할 것

    ⓔ 옥상이 소방사다리차가 쉽게 통행할 수 있는 도로(폭 6[m] 이상의 것) 또는 공지(공원 또는 광장 등)에 면하여 설치되어 있거나 옥상으로부터 피난층 또는 지상으로 통하는 2 이상의 피난계단 또는 특별피난계단이 규정에 적합하게 설치되어 있어야 할 것

③ 주요구조부가 내화구조이고 지하층을 제외한 층수가 4층 이하이며 소방사다리차가 쉽게 통행할 수 있는 도로 또는 공지에 면하는 부분에 기준에 적합한 개구부가 2 이상 설치되어 있는 층(문화 및 집회시설, 운동시설·제품검사 전문기관·노유자시설의 용도로 사용되는 층으로서 그 층의 바닥면적이 1,000[m²] 이상은 제외)

④ 편복도형 아파트 또는 발코니를 통하여 인접세대로 피난할 수 있는 구조로 되어 있는 계단실형 아파트

⑤ 주요구조부가 내화구조로서 거실의 각 부분으로부터 직접 복도로 피난할 수 있는 학교(강의실 용도로 사용되는 층)

⑥ 무인공장 또는 자동창고로서 사람의 출입이 금지된 장소

6 피난기구설치의 감소

• 주요구조부가 내화구조로 되어 있을 것 • 직통계단인 피난계단 또는 특별피난계단이 2 이상 설치되어 있을 것	피난기구의 $\frac{1}{2}$ 감소 (소수점 이하 절상)

01 비상조명등의 화재안전기준(NFSC 304)에 따라 비상조명등의 조도는 비상조명등이 설치된 장소의 각 부분의 바닥에서 몇 [lx] 이상이 되도록 하여야 하는가? [20년 3회, 21년 2회]

① 1   ② 3

③ 5   ④ 10

해설 **비상조명등 설치기준**
① 특정소방대상물의 각 거실과 그로부터 지상에 이르는 복도·계단 및 그 밖의 통로에 설치할 것
② 조도는 비상조명등이 설치된 장소의 각 부분의 바닥에서 1[lx] 이상이 되도록 할 것
③ 예비전원을 내장하는 비상조명등에는 평상시 점등여부를 확인할 수 있는 점검스위치를 설치하고 해당 조명등을 유효하게 작동시킬 수 있는 용량의 축전지와 예비전원 충전장치를 내장할 것
④ 예비전원을 내장하지 아니하는 비상조명등의 비상전원은 자가발전설비, 축전지설비 또는 전기저장장치를 다음의 기준에 따라 설치하여야 한다.
　㉠ 점검에 편리하고 화재 및 침수 등의 재해로 인한 피해를 받을 우려가 없는 곳에 설치할 것
　㉡ 상용전원으로부터 전력의 공급이 중단된 때에는 자동으로 비상전원으로부터 전력을 공급받을 수 있도록 할 것
　㉢ 비상전원의 설치장소는 다른 장소와 방화구획할 것. 이 경우 그 장소에는 비상전원의 공급에 필요한 기구나 설비 외의 것을 두어서는 아니 된다.
　㉣ 비상전원을 실내에 설치하는 때에는 그 실내에 비상조명등을 설치할 것
⑤ ③과 ④에 따른 비상전원은 비상조명등을 20분 이상 유효하게 작동시킬 수 있는 용량으로 할 것. 다만, 다음의 특정소방대상물의 경우에는 그 부분에서 피난층에 이르는 부분의 비상조명등을 60분 이상 유효하게 작동시킬 수 있는 용량으로 하여야 한다.
　㉠ 지하층을 제외한 층수가 11층 이상의 층
　㉡ 지하층 또는 무창층으로서 용도가 도매시장·소매시장·여객자동차터미널·지하역사 또는 지하상가
⑥ 비상조명등의 설치면제 요건에서 "그 유도등의 유효범위 안의 부분"이란 유도등의 조도가 바닥에서 1[lx] 이상이 되는 부분을 말한다.

핵심 예제

02 비상조명등의 화재안전기준(NFSC 304)에 따른 비상조명등의 시설기준에 적합하지 않은 것은? [20년 1·2회]

① 조도는 비상조명등이 설치된 장소의 각 부분의 바닥에서 0.5[lx]가 되도록 하였다.
② 특정소방대상물의 각 거실과 그로부터 지상에 이르는 복도·계단 및 그 밖의 통로에 설치하였다.
③ 예비전원을 내장하는 비상조명등에 평상시 점등여부를 확인할 수 있는 점검스위치를 설치하였다.
④ 예비전원을 내장하는 비상조명등에 해당 조명등을 유효하게 작동시킬 수 있는 용량의 축전지와 예비전원 충전장치를 내장하도록 하였다.

해설 1번 해설 참조

정답 1 ① 2 ①

03 비상전원이 비상조명등을 60분 이상 유효하게 작동시킬 수 있는 용량으로 하지 않아도 되는 특정소방대상물은? [19년 2회]

① 지하상가
② 숙박시설
③ 무창층으로서 용도가 소매시장
④ 지하층을 제외한 층수가 11층 이상의 층

해설   1번 해설 참조

04 비상조명등의 비상전원은 지하층 또는 무창층으로서 용도가 도매시장·소매시장·여객자동차터미널·지하역사 또는 지하상가인 경우 그 부분에서 피난층에 이르는 부분의 비상조명등을 몇 분 이상 유효하게 작동시킬 수 있는 용량으로 하여야 하는가? [18년 1회]

① 10   ② 20
③ 30   ④ 60

해설   1번 해설 참조

05 특정소방대상물의 그 부분에서 피난층에 이르는 부분의 비상조명등을 60분 이상 유효하게 작동시킬 수 있는 용량으로 하여야 하는 경우가 아닌 것은? [17년 1회]

① 지하층을 제외한 층수가 11층 이상의 층
② 지하층 또는 무창층으로서 용도가 도매시장·소매시장
③ 지하층 또는 무창층으로서 용도가 여객자동차터미널·지하역사 또는 지하상가
④ 지하가 중 터널로서 길이 500[m] 이상

해설   1번 해설 참조

3 ② 4 ④ 5 ④   정답

06 비상조명등의 화재안전기준(NFSC 304)에 따라 비상조명등의 비상전원을 설치하는 데 있어서 어떤 특정소방대상물의 경우에는 그 부분에서 피난층에 이르는 부분의 비상조명등을 60분 이상 유효하게 작동시킬 수 있는 용량으로 하여야 한다. 이 특정소방대상물에 해당하지 않는 것은? [19년 1회]

① 무창층인 지하역사
② 무창층인 소매시장
③ 지하층인 관람시설
④ 지하층을 제외한 층수가 11층 이상인 층

해설 1번 해설 참조

07 비상조명등의 화재안전기준(NFSC 304)에 따른 휴대용 비상조명등의 설치기준이다. 다음 ( )에 들어갈 내용으로 옳은 것은? [17년 2회, 20년 1회]

지하상가 및 지하역사에는 보행거리 (ⓐ)[m] 이내마다 (ⓑ)개 이상 설치할 것

① ⓐ 25, ⓑ 1
② ⓐ 25, ⓑ 3
③ ⓐ 50, ⓑ 1
④ ⓐ 50, ⓑ 3

해설 **휴대용 비상조명등 설치기준**
- 다음의 장소에 설치할 것
  - 숙박시설 또는 다중이용업소에는 객실 또는 영업장 안의 구획된 실마다 잘 보이는 곳(외부에 설치 시 출입문 손잡이로부터 1[m] 이내 부분)에 1개 이상 설치
  - 대규모점포와 영화상영관에는 보행거리 50[m] 이내마다 3개 이상 설치
  - 지하상가 및 지하역사에는 보행거리 25[m] 이내마다 3개 이상 설치
- 설치높이는 바닥으로부터 0.8[m] 이상 1.5[m] 이하의 높이에 설치할 것
- 어둠 속에서 위치를 확인할 수 있도록 할 것
- 사용 시 자동으로 점등되는 구조일 것
- 외함은 난연성능이 있을 것
- 건전지를 사용하는 경우에는 방전방지조치를 하여야 하고, 충전식 배터리의 경우에는 상시 충전되도록 할 것
- 건전지 및 충전식 배터리의 용량은 20분 이상 유효하게 사용할 수 있는 것으로 할 것

핵심 예제

08 휴대용비상조명등의 설치기준 중 틀린 것은? [17년 1회]

① 영화상영관에는 보행거리 50[m] 이내마다 3개 이상 설치할 것
② 지하상가 및 지하역사에는 보행거리 30[m] 이내마다 3개 이상 설치할 것
③ 숙박시설 또는 다중이용업소에는 객실 또는 영업장 안의 구획된 실마다 잘 보이는 곳에 1개 이상 설치할 것
④ 건전지 및 충전식 배터리의 용량은 20분 이상 유효하게 사용할 수 있는 것으로 할 것

해설 7번 해설 참조

09 휴대용비상조명등 설치 높이는? [19년 1회]

① 0.8[m]~1.0[m]
② 0.8[m]~1.5[m]
③ 1.0[m]~1.5[m]
④ 1.0[m]~1.8[m]

해설 7번 해설 참조

10 휴대용비상조명등의 설치기준 중 틀린 것은? [18년 2회]

① 대규모점포(지하상가 및 지하역사는 제외)와 영화상영관에는 보행거리 50[m] 이내마다 3개 이상 설치할 것
② 사용 시 수동으로 점등되는 구조일 것
③ 건전지 및 충전식 배터리의 용량은 20분 이상 유효하게 사용할 수 있는 것으로 할 것
④ 지하상가 및 지하역사에는 보행거리 25[m] 이내마다 3개 이상 설치할 것

해설 7번 해설 참조

8 ② 9 ② 10 ② **정답**

11 비상조명등의 설치제외 기준 중 다음 (   ) 안에 알맞은 것은? [17년 4회, 18년 4회]

> 거실의 각 부분으로부터 하나의 출입구에 이르는 보행거리가 (   )[m] 이내인 부분

① 2

② 5

③ 15

④ 25

해설 7번 해설 참조

12 비상조명등의 일반구조 기준 중 틀린 것은? [18년 1회]

① 상용전원전압의 130[%] 범위 안에서는 비상조명등 내부의 온도상승이 그 기능에 지장을 주거나 위해를 발생시킬 염려가 없어야 한다.

② 사용전압은 300[V] 이하이어야 한다. 다만, 충전부가 노출되지 아니한 것은 300[V]를 초과할 수 있다.

③ 전선의 굵기가 인출선인 경우에는 단면적이 $0.75[\text{mm}^2]$ 이상, 인출선 외의 경우에는 단면적이 $0.5[\text{mm}^2]$ 이상이어야 한다.

④ 인출선의 길이는 전선인출 부분으로부터 150[mm] 이상이어야 한다. 다만, 인출선으로 하지 아니할 경우에는 풀어지지 아니하는 방법으로 전선을 쉽고 확실하게 부착할 수 있도록 접속단자를 설치하여야 한다.

핵심예제

해설 비상조명등의 형식승인 및 제품검사의 기술기준
• 일반구조
 – 상용전원전압의 110[%] 범위 안에서는 비상조명등 내부의 온도상승이 그 기능에 지장을 주거나 위해를 발생시킬 염려가 없어야 할 것
 – 사용전압은 300[V] 이하이어야 한다. 다만, 충전부가 노출되지 아니한 것은 300[V]를 초과할 수 있다.
 – 전선의 굵기가 인출선인 경우에는 단면적이 $0.75[\text{mm}^2]$ 이상, 인출선 외의 경우에는 단면적이 $0.5[\text{mm}^2]$ 이상일 것
 – 인출선의 길이는 전선인출 부분으로부터 150[mm] 이상일 것
 – 유효점등시간은 20분 이상으로 하며 20분 단위로 제조사가 설정
• 절연저항시험
 비상조명등의 교류입력 측과 외함 사이, 절연된 교류입력 측과 충전부 사이 및 절연된 충전부의 외함 사이의 각각 절연저항은 직류 500[V]의 절연저항계로 측정한 값이 5[MΩ] 이상이어야 한다.

13 비상조명등의 형식승인 및 제품검사의 기술기준에 따라 비상조명등의 일반구조로 광원과 전원부를 별도로 수납하는 구조에 대한 설명으로 틀린 것은? [21년 1회]

① 전원함은 방폭구조로 할 것
② 배선은 충분히 견고한 것을 사용할 것
③ 광원과 전원부 사이의 배선길이는 1[m] 이하로 할 것
④ 전원함은 불연재료 또는 난연재료의 재질을 사용할 것

해설 **비상조명등의 광원과 전원부를 별도로 수납하는 구조기준**
- 전원함은 불연재료 또는 난연재료의 재질을 사용할 것
- 광원과 전원부 사이의 배선길이는 1[m] 이하로 할 것
- 배선은 충분히 견고한 것을 사용할 것

핵심
예제

14 피난기구 용어의 정의 중 다음 (   ) 안에 알맞은 것은? [17년 4회, 18년 4회]

(   )란 사용자의 몸무게에 따라 자동적으로 내려올 수 있는 기구 중 사용자가 연속적으로 사용할 수 없는 것을 말한다.

① 간이완강기
② 공기안전매트
③ 완강기
④ 승강식 피난기

해설 **용어 정의**
- 피난밧줄 : 급격한 하강을 방지하기 위한 일정간격으로 매듭 등을 만들어 놓은 밧줄
- 구조대 : 자루형태로 만든 것으로 화재 시 사용자가 그 내부에 들어가서 내려옴으로써 대피할 수 있는 것
- 간이완강기 : 사용자의 몸무게에 따라 자동적으로 내려올 수 있는 기구 중 사용자가 연속적으로 사용할 수 없는 것
- 완강기 : 사용자의 몸무게에 따라 자동적으로 내려올 수 있는 기구 중 사용자가 교대하여 연속적으로 사용할 수 있는 것
- 피난사다리 : 화재 시 긴급대피를 위한 사다리
- 공기안전매트 : 화재발생 시 건축물 내에서 외부로 뛰어내릴 때 충격을 흡수하여 안전하게 지상에 도달할 수 있도록 포지에 공기 등을 주입하는 구조로 되어 있는 것
- 다수인 피난장비 : 화재 시 2인 이상 동시에 해당 층에서 지상 또는 피난층으로 하강하는 피난기구
- 승강식 피난기 : 사용자의 몸무게에 의하여 자동으로 하강하고 이후 스스로 상승하여 연속적으로 사용할 수 있는 무동력 승강식 피난기

15 피난기구 설치 개수의 기준 중 다음 ( ) 안에 알맞은 것은? [18년 1회]

> 층마다 설치하되, 숙박시설·노유자시설 및 의료시설로 사용되는 층에 있어서는 그 층의 바닥면적 (㉠) [m²]마다, 위락시설·판매시설로 사용되는 층 또는 복합용도의 층에 있어서는 그 층의 바닥면적 (㉡) [m²]마다, 계단실형 아파트에 있어서는 각 세대마다, 그 밖의 용도의 층에 있어서는 그 층의 바닥면적 (㉢)[m²]마다 1개 이상 설치할 것

① ㉠ 300, ㉡ 500, ㉢ 1,000
② ㉠ 500, ㉡ 800, ㉢ 1,000
③ ㉠ 300, ㉡ 500, ㉢ 1,500
④ ㉠ 500, ㉡ 800, ㉢ 1,500

해설 피난기구 설치 수량
- 층마다 설치하되 다음 표에 따를 것

설치기준	사용장소
그 층의 바닥면적 500[m²]마다 1개 이상	의료시설, 숙박시설, 노유자시설
그 층의 바닥면적 800[m²]마다 1개 이상	판매시설, 위락시설, 문화집회 및 운동시설, 복합상가
그 층의 바닥면적 1,000[m²]마다 1개 이상	그 밖의 용도 층(기타)
각 세대마다 1개 이상	계단실형 아파트

- 피난기구 외에 숙박시설(휴양콘도미니엄 제외)의 경우에는 추가로 객실마다 완강기 또는 둘 이상의 간이완강기를 설치할 것
- 피난기구 외에 아파트의 경우에는 하나의 관리주체가 관리하는 아파트 구역마다 공기안전매트 1개 이상을 추가로 설치할 것(단, 옥상으로 피난이 가능하거나 인접세대로 피난할 수 있는 구조인 경우는 제외)

핵심 예제

16 피난기구의 설치개수 기준 중 틀린 것은? [17년 1회]

① 설치한 피난기구 외에 아파트의 경우에는 하나의 관리주체가 관리하는 아파트 구역마다 공기안전매트 1개 이상을 추가로 설치할 것
② 휴양콘도미니엄을 제외한 숙박시설의 경우에는 추가로 객실마다 완강기 또는 1개 이상의 간이완강기를 설치할 것
③ 층마다 설치하되, 숙박시설·노유자시설 및 의료시설로 사용되는 층에 있어서는 그 층의 바닥면적 500[m²]마다 1개 이상 설치할 것
④ 층마다 설치하되, 위락시설·문화집회 및 운동시설·판매시설로 사용되는 층 또는 복합용도의 층에 있어서는 그 층의 바닥면적 800[m²]마다 1개 이상 설치할 것

해설 15번 해설 참조

17 7층인 의료시설에 적응성을 갖는 피난기구가 아닌 것은? [18년 4회]

① 구조대

② 피난교

③ 피난용 트랩

④ 미끄럼대

해설 **소방대상물의 설치장소별 피난기구의 적응성**

설치 장소별 구분 \ 층 별	지하층	1층	2층	3층	4~10층 이하
노유자시설	피난용 트랩	• 미끄럼대 • 구조대 • 피난교 • 다수인 피난장비 • 승강식 피난기	• 미끄럼대 • 구조대 • 피난교 • 다수인 피난장비 • 승강식 피난기	• 미끄럼대 • 구조대 • 피난교 • 다수인 피난장비 • 승강식 피난기	• 피난교 • 다수인 피난장비 • 승강식 피난기
의료시설·입 원실이 있는 의원·접골원 ·조산원	피난용 트랩	–	–	• 미끄럼대 • 구조대 • 피난교 • 피난용 트랩 • 다수인 피난장비 • 승강식 피난기	• 구조대 • 피난교 • 피난용 트랩 • 다수인 피난장비 • 승강식 피난기
영업장의 위치가 4층 이하인 다중이용업소	–	–	• 미끄럼대 • 피난사다리 • 구조대 • 완강기 • 다수인 피난장비 • 승강식 피난기	• 미끄럼대 • 피난사다리 • 구조대 • 완강기 • 다수인 피난장비 • 승강식 피난기	• 미끄럼대 • 피난사다리 • 구조대 • 완강기 • 다수인 피난장비 • 승강식 피난기
그 밖의 것	• 피난사다리 • 피난용 트랩	–	–	• 미끄럼대 • 피난사다리 • 구조대 • 완강기 • 피난교 • 피난용 트랩 • 간이완강기 • 공기안전매트 • 다수인 피난장비 • 승강식 피난기	• 피난사다리 • 구조대 • 완강기 • 피난교 • 간이완강기 • 공기안전매트 • 다수인 피난장비 • 승강식 피난기

비고 : 간이완강기의 적응성은 숙박시설의 3층 이상에 있는 객실에, 공기안전매트의 적응성은 공동주택
에 한한다.

17 ④ 정답

18 소방대상물의 설치장소별 피난기구의 적응성 기준 중 다음 ( ) 안에 알맞은 것은?

[18년 1회]

간이완강기의 적응성은 숙박시설의 (㉠)층 이상에 있는 객실에, 공기안전매트의 적응성은 (㉡)에 한한다.

① ㉠ 3, ㉡ 공동주택
② ㉠ 4, ㉡ 공동주택
③ ㉠ 3, ㉡ 단독주택
④ ㉠ 4, ㉡ 단독주택

해설 17번 해설 참조

19 노유자시설 지하층에 적응성을 가진 피난기구는?

[18년 2회]

① 미끄럼대
② 다수인 피난장비
③ 피난교
④ 피난용 트랩

해설 17번 해설 참조

20 근린생활시설 중 입원실이 있는 의원 지하층에 적응성을 가진 피난기구는?

[17년 2회]

① 피난용 트랩
② 피난사다리
③ 피난교
④ 구조대

해설 17번 해설 참조

21 피난기구의 종류가 아닌 것은? [17년 II회]

① 미끄럼대
② 공기호흡기
③ 승강식 피난기
④ 공기안전매트

> 해설 **피난기구의 종류**
> • 미끄럼대 • 피난사다리
> • 구조대 • 완강기
> • 피난교 • 피난용트랩
> • 간이완강기 • 공기안전매트
> • 다수인 피난장비 • 승강식 피난기

22 피난기구의 설치기준 중 틀린 것은? [18년 2회]

① 피난기구를 설치하는 개구부는 서로 동일 직선상이 아닌 위치에 있을 것. 다만, 피난교·피난용 트랩·간이완강기·아파트에 설치되는 피난기구(다수인 피난장비는 제외) 기타 피난상 지장이 없는 것에 있어서는 그러하지 아니하다.

② 4층 이상의 층에 하향식 피난구용 내림식 사다리를 설치하는 경우에는 금속성 고정사다리를 설치하고, 당해 고정사다리에는 쉽게 피난할 수 있는 구조의 노대를 설치하여야 한다.

③ 다수인 피난장비 보관실은 건물 외측보다 돌출되지 아니하고, 빗물·먼지 등으로부터 장비를 보호할 수 있는 구조이어야 한다.

④ 승강식 피난기 및 하향식 피난구용 내림식 사다리의 착지점과 하강구는 상호 수평거리 15[cm] 이상의 간격을 두어야 한다.

> 해설 **피난기구의 설치기준**
> • 피난기구는 계단·피난구 기타 피난시설로부터 적당한 거리에 있는 안전한 구조로 된 피난 또는 소화활동상 유효한 개구부에 고정하여 설치(필요시 신속하고 유효하게 설치할 수 있는 상태에 둘 것)
> • 개구부는 서로 동일직선상이 아닌 위치에 있을 것(단, 피난교·피난용 트랩·간이완강기·아파트에 설치되는 피난기구 기타 피난상 지장이 없는 것은 제외)
> • 피난기구는 소방대상물의 기둥·바닥·보 기타 구조상 견고한 부분에 볼트조임·매입·용접 기타의 방법으로 견고하게 부착할 것
> • 4층 이상의 층에 피난사다리를 설치 시(하향식 피난구용 내림식 사다리 제외) 금속성 고정사다리를 설치하고, 해당 고정사다리에는 쉽게 피난할 수 있는 구조의 노대를 설치할 것
> • 완강기는 강하 시 로프가 소방대상물과 접촉하여 손상되지 아니하도록 할 것
> • 완강기 로프의 길이는 부착위치에서 지면 또는 기타 피난상 유효한 착지면까지의 길이로 할 것
> • 미끄럼대는 안전한 강하속도를 유지하도록 하고, 전락방지를 위한 안전조치를 할 것
> • 구조대의 길이는 피난상 지장이 없고 안전한 강하속도를 유지할 수 있는 길이로 할 것

21 ② 22 ② 정답

23 피난설비의 설치면제 요건의 규정에 따라 옥상의 면적이 몇 [m²] 이상이어야 그 옥상의 직하층 또는 최상층(관람집회 및 운동시설 또는 판매시설 제외) 그 부분에 피난기구를 설치하지 아니할 수 있는가?(단, 숙박시설[휴양콘도미니엄을 제외]에 설치되는 완강기 및 간이완강기의 경우에 제외한다)

[17년 2회]

① 500

② 800

③ 1,000

④ 1,500

해설 다음 기준에 적합한 특정소방대상물 중 그 옥상의 직하층 또는 최상층(관람집회 및 운동시설 또는 판매시설을 제외)
- 주요구조부가 내화구조로 되어 있어야 할 것
- 옥상의 면적이 1,500[m²] 이상이어야 할 것
- 옥상으로 쉽게 통할 수 있는 창 또는 출입구가 설치되어 있어야 할 것
- 옥상이 소방사다리차가 쉽게 통행할 수 있는 도로(폭 6[m] 이상의 것) 또는 공지(공원 또는 광장 등)에 면하여 설치되어 있거나 옥상으로부터 피난층 또는 지상으로 통하는 2 이상의 피난계단 또는 특별피난계단이 규정에 적합하게 설치되어 있어야 할 것

핵심
예제

24 경사강하식 구조대의 구조기준 중 틀린 것은? [17년 1회]

① 손잡이는 출구 부근에 좌우 각 3개 이상 균일한 간격으로 견고하게 부착하여야 한다.

② 입구틀 및 취부틀의 입구는 지름 30[cm] 이상의 구체가 통과할 수 있어야 한다.

③ 구조대 본체의 활강부는 낙하방지를 위해 포를 2중구조로 하거나 또는 망목의 변의 길이가 8[cm] 이하인 망을 설치하여야 한다.

④ 구조대 본체의 끝부분에는 길이 4[m] 이상, 지름 4[mm] 이상의 유도선을 부착하여야 하며, 유도선 끝에는 중량 3[N](300[g]) 이상의 모래주머니 등을 설치하여야 한다.

해설 경사강하식구조대의 구조기준
입구틀 및 취부틀의 입구는 지름 50[cm] 이상의 구체가 통과할 수 있어야 한다.

25 승강식 피난기 및 하향식 피난구용 내림식 사다리의 설치기준 중 틀린 것은? [18년 1회]

① 착지점과 하강구는 상호 수평거리 15[cm] 이상의 간격을 두어야 한다.

② 대피실 출입문이 개방되거나, 피난기구 작동 시 해당 층 및 직상층 거실에 설치된 표시등 및 경보장치가 작동되고, 감시 제어반에서는 피난기구의 작동을 확인할 수 있어야 한다.

③ 하강구 내측에는 기구의 연결 금속구 등이 없어야 하며 전개된 피난기구는 하강구 수평 투영면적 공간 내의 범위를 침범하지 않는 구조이어야 할 것. 단, 직경 60[cm] 크기의 범위를 벗어난 경우이거나, 직하층의 바닥면으로부터 높이 50[cm] 이하의 범위는 제외한다.

④ 대피실 내에는 비상조명등을 설치하여야 한다.

해설 대피실 출입문이 개방되거나, 피난기구 작동 시 해당 층 및 직하층 거실에 설치된 표시등 및 경보장치가 작동되고, 감시 제어반에서는 피난기구의 작동을 확인 할 수 있어야 한다.

CHAPTER 03 소화활동설비

제 1 절 ## 비상콘센트 설비

1 개 요

11층 이하 화재 시에는 소화활동이 가능하나 11층 이상과 지하 3층 이상인 층일 때는 소화활동설비를 이용한 소화활동이 어려우므로 내화배선에 의한 고정설비인 비상콘센트설비를 설치하여 화재 시 소방대의 조명 또는 소화활동상 필요한 장비의 전원을 공급해주는 설비이다.

2 설치대상

① 층수가 11층 이상인 특정소방대상물의 경우에는 11층 이상의 층
② 지하층의 층수가 3층 이상이고, 지하층의 바닥면적이 합계가 1,000[m²] 이상인 것은 지하층의 모든 층
③ 지하가 중 터널로서 길이가 500[m] 이상의 것

3 설치기준

① 상용전원의 배선
   ㉠ 저압수전인 경우에는 인입개폐기의 직후에서 분기하여 전용 배선으로 하여야 한다.
   ㉡ 고압수전 또는 특고압수전인 경우에는 전력용 변압기 2차측의 주 차단기 1차측 또는 2차측에서 분기하여 전용 배선으로 하여야 한다.
② 비상전원
   ㉠ 지하층을 제외한 층수가 7층 이상으로서 연면적이 2,000[m²] 이상이거나 지하층 바닥면적의 합계가 3,000[m²] 이상인 특정소방대상물의 비상콘센트설비에는 자가발전설비, 비상전원수전설비 또는 전기저장장치를 비상전원으로 설치할 것(둘 이상의 변전소에서 전력을 동시에 공급받을 수 있거나 하나의 변전소로부터 전력의 공급이 중단되는 때에는 자동으로 다른 변전소로부터 전력을 공급받을 수 있도록 상용전원을 설치한 경우에는 비상전원을 설치하지 아니할 수 있다)

ⓛ 비상전원 중 자가발전설비는 다음에 따라 설치할 것
ⓐ 점검에 편리하고 화재 및 침수 등의 재해로 인한 피해를 받을 우려가 없는 곳에 설치할 것
ⓑ 비상콘센트설비를 유효하게 20분 이상 작동시킬 수 있는 용량으로 할 것
ⓒ 상용전원으로부터 전력의 공급이 중단된 때에는 자동으로 비상전원으로부터 전력을 공급받을 수 있도록 할 것
ⓓ 비상전원의 설치장소는 다른 장소와 방화구획 할 것. 이 경우 그 장소에는 비상전원의 공급에 필요한 기구나 설비 외의 것을 두어서는 아니 된다.
ⓔ 비상전원을 실내에 설치하는 때에는 그 실내에 비상조명등을 설치할 것

4 전원회로

구 분	전 압	공급용량	플러그접속기
단상교류	220[V]	1.5[kVA] 이상	접지형 2극

① 하나의 전용회로에 설치하는 비상콘센트는 10개 이하로 할 것(전선의 용량은 최대 3개)

설치하는 비상콘센트 수량	전선의 용량산정 시 적용하는 비상콘센트 수량	전선의 용량	
1	1개 이상	1.5[kVA] 이상	3.0 이상
2	2개 이상	3.0[kVA] 이상	6.0 이상
3~10	3개 이상	4.5[kVA] 이상	9.0 이상

② 전원회로는 각 층에 있어서 2 이상이 되도록 설치할 것(단, 설치하여야 할 층의 콘센트가 1개인 때에는 하나의 회로로 할 수 있다)
③ 전원회로는 주배전반에서 전용회로로 할 것
④ 전원으로부터 각 층의 비상콘센트에 분기되는 경우에는 분기배선용 차단기를 보호함 안에 설치할 것
⑤ 콘센트마다 배선용 차단기(KS C 8321)를 설치할 것
⑥ 비상콘센트용의 풀박스 등은 두께 1.6[mm] 이상의 철판으로 할 것
⑦ 절연저항은 전원부와 외함 사이를 직류 500[V] 절연저항계로 측정하여 20[MΩ] 이상일 것
⑧ 바닥으로부터 0.8~1.5[m] 이하의 높이에 설치할 것
⑨ 전원회로는 주배전반에서 전용회로로 하며, 배선의 종류는 내화배선이어야 한다.
⑩ 비상콘센트의 플러그접속기의 칼받이의 접지극에는 접지공사를 할 것
㉠ 접지공사의 종류 : 제3종 접지공사
㉡ 접지선의 굵기 : 2.5[mm^2] 이상
㉢ 접지저항값 : 100[Ω] 이하

⑪ 절연내력시험

　㉠ 150[V] 이하 : 1,000[V]의 실효전압을 가하여 1분 이상 견딜 것

　㉡ 150[V] 이상 : (정격전압 × 2) + 1,000[V]의 실효전압을 가하여 1분 이상 견딜 것

5 설치 거리, 배치

① 비상콘센트의 배치는 아파트 또는 바닥면적이 1,000[m²] 미만인 층은 계단의 출입구(계단의 부속실을 포함하며 계단이 2 이상 있는 경우에는 그중 1개의 계단을 말한다)로부터 5[m] 이내 설치할 것

② 바닥면적 1,000[m²] 이상인 층(아파트 제외)은 각 계단의 출입구 또는 계단부속실의 출입구(계단의 부속실을 포함하며 계단이 3 이상 있는 층의 경우에는 그중 2개의 계단을 말한다)로부터 5[m] 이내에 설치할 것

③ 비상콘센트 추가 설치

　㉠ 지하상가 또는 지하층 바닥면적의 합계가 3,000[m²] 이상인 것은 수평거리 25[m]마다 추가 설치

　㉡ ㉠에 해당하지 아니하는 것은 수평거리 50[m]마다 추가 설치

6 비상콘센트 보호함의 시설기준

① 보호함에는 쉽게 개폐할 수 있는 문을 설치하여야 한다.

② 보호함 표면에 "비상콘센트"라고 표시한 표지를 하여야 한다.

③ 보호함 상부에 적색의 표시등을 설치하여야 한다(단, 비상콘센트의 보호함을 옥내소화전함 등과 접속하여 설치하는 경우에는 옥내소화전함 등의 표시등과 겸용할 수 있다).

01 비상콘센트설비를 설치하여야 하는 특정소방대상물의 기준으로 옳은 것은?(단, 위험물 저장 및 처리시설 중 가스시설 또는 지하구는 제외한다) [17년 11회]

① 지하가(터널은 제외)로서 연면적 1,000[m²] 이상인 것

② 층수가 11층 이상인 특정소방대상물의 경우에는 11층 이상의 층

③ 지하층의 층수가 3층 이상이고 지하층의 바닥면적의 합계가 1,500[m²] 이상인 것은 지하층의 모든 층

④ 창고시설 중 물류터미널로서 해당 용도로 사용되는 부분의 바닥면적의 합계가 1,000[m²] 이상인 것

> **해설** 비상콘센트설비를 설치하여야 하는 특정소방대상물
> • 층수가 11층 이상인 특정소방대상물의 경우에는 11층 이상의 층
> • 지하층의 층수가 3층 이상이고, 지하층의 바닥면적이 합계가 1,000[m²] 이상인 것은 지하층의 모든 층
> • 지하가 중 터널로서 길이가 500[m] 이상의 것

02 비상콘센트설비 상용전원회로의 배선이 고압수전 또는 특고압수전인 경우의 설치기준은? [19년 2회]

① 인입개폐기의 직전에서 분기하여 전용배선으로 할 것

② 인입개폐기의 직후에서 분기하여 전용배선으로 할 것

③ 전력용변압기 1차측의 주차단기 2차측에서 분기하여 전용배선으로 할 것

④ 전력용변압기 2차측의 주차단기 1차측 또는 2차측에서 분기하여 전용배선으로 할 것

> **해설** 상용전원의 배선
> • 저압수전인 경우에는 인입개폐기의 직후에서 분기하여 전용 배선으로 하여야 한다.
> • 고압수전 또는 특고압수전인 경우에는 전력용 변압기 2차측의 주 차단기 1차측 또는 2차측에서 분기하여 전용 배선으로 하여야 한다.

03 지하층을 제외한 층수가 7층 이상으로서 연면적이 2,000[m²] 이상이거나 지하층의 바닥면적의 합계가 3,000[m²] 이상인 특정소방대상물의 비상콘센트 설비에 설치하여야 할 비상전원의 종류가 아닌 것은? [18년 1회]

① 비상전원수전설비
② 자가발전설비
③ 전기저장장치
④ 축전지설비

해설 **비상전원**

• 지하층을 제외한 층수가 7층 이상으로서 연면적이 2,000[m²] 이상이거나 지하층 바닥면적의 합계가 3,000[m²] 이상인 특정소방대상물의 비상콘센트설비에는 자가발전설비, 비상전원수전설비 또는 전기저장장치를 비상전원으로 설치할 것(둘 이상의 변전소에서 전력을 동시에 공급받을 수 있거나 하나의 변전소로부터 전력의 공급이 중단되는 때에는 자동으로 다른 변전소로부터 전력을 공급받을 수 있도록 상용전원을 설치한 경우에는 비상전원을 설치하지 아니할 수 있다)

• 비상전원 중 자가발전설비는 다음에 따라 설치할 것
  – 점검에 편리하고 화재 및 침수 등의 재해로 인한 피해를 받을 우려가 없는 곳에 설치할 것
  – 비상콘센트설비를 유효하게 20분 이상 작동시킬 수 있는 용량으로 할 것
  – 상용전원으로부터 전력의 공급이 중단된 때에는 자동으로 비상전원으로부터 전력을 공급받을 수 있도록 할 것
  – 비상전원의 설치장소는 다른 장소와 방화구획 할 것. 이 경우 그 장소에는 비상전원의 공급에 필요한 기구나 설비 외의 것을 두어서는 아니 된다.
  – 비상전원을 실내에 설치하는 때에는 그 실내에 비상조명등을 설치할 것

04 자가발전설비, 비상전원수전설비 또는 전기저장장치(외부 전기에너지를 저장해 두었다가 필요한 때 전기를 공급하는 장치)를 비상콘센트설비의 비상전원으로 설치하여야 하는 특정소방대상물로 옳은 것은? [19년 1회]

① 지하층을 제외한 층수가 4층 이상으로서 연면적 600[m²] 이상인 특정소방대상물
② 지하층을 제외한 층수가 5층 이상으로서 연면적 1,000[m²] 이상인 특정소방대상물
③ 지하층을 제외한 층수가 6층 이상으로서 연면적 1,500[m²] 이상인 특정소방대상물
④ 지하층을 제외한 층수가 7층 이상으로서 연면적 2,000[m²] 이상인 특정소방대상물

해설 3번 해설 참조

정답 3 ④　4 ④

05 비상콘센트설비의 화재안전기준(NFSC 504)에 따라 비상콘센트설비의 전원회로(비상콘센트에 전력을 공급하는 회로를 말한다)에 대한 전압과 공급용량으로 옳은 것은? [19년 4회]

① 전압 : 단상교류 110[V], 공급용량 : 1.5[kVA] 이상
② 전압 : 단상교류 220[V], 공급용량 : 1.5[kVA] 이상
③ 전압 : 단상교류 110[V], 공급용량 : 3[kVA] 이상
④ 전압 : 단상교류 220[V], 공급용량 : 3[kVA] 이상

해설 **전원회로**

구 분	전 압	공급용량	플러그접속기
단상교류	220[V]	1.5[kVA] 이상	접지형 2극

• 하나의 전용회로에 설치하는 비상콘센트는 10개 이하로 할 것(전선의 용량은 최대 3개)

설치하는 비상콘센트 수량	전선의 용량산정 시 적용하는 비상콘센트 수량	전선의 용량	
1	1개 이상	1.5[kVA] 이상	3.0 이상
2	2개 이상	3.0[kVA] 이상	6.0 이상
3~10	3개 이상	4.5[kVA] 이상	9.0 이상

• 전원회로는 각 층에 있어서 2 이상이 되도록 설치할 것(단, 설치하여야 할 층의 콘센트가 1개인 때에는 하나의 회로로 할 수 있다)
• 전원회로는 주배전반에서 전용회로로 할 것
• 전원으로부터 각 층의 비상콘센트에 분기되는 경우에는 분기배선용 차단기를 보호함 안에 설치할 것
• 콘센트마다 배선용 차단기(KS C 8321)를 설치할 것
• 비상콘센트용의 풀박스 등은 두께 1.6[mm] 이상의 철판으로 할 것
• 절연저항은 전원부와 외함 사이를 직류 500[V] 절연저항계로 측정하여 20[MΩ] 이상일 것
• 바닥으로부터 0.8~1.5[m] 이하의 높이에 설치할 것
• 전원회로는 주배전반에서 전용회로로 하며, 배선의 종류는 내화배선이어야 한다.
• 비상콘센트의 플러그접속기의 칼받이의 접지극에는 접지공사를 할 것
  – 접지공사의 종류 : 제3종 접지공사
  – 접지선의 굵기 : 2.5[mm^2] 이상
  – 접지저항값 : 100[Ω] 이하

06 비상콘센트용의 풀박스 등은 방청도장을 한 것으로서 두께는 최소 몇 [mm] 이상의 철판으로 하여야 하는가? [18년 4회]

① 1.0
② 1.2
③ 1.5
④ 1.6

해설 5번 해설 참조

5 ② 6 ④ 정답

07 비상콘센트설비의 전원회로의 설치기준 중 틀린 것은? [17년 1회]

① 비상콘센트용 풀박스 등은 방청도장을 한 것으로서, 두께 1.6[mm] 이상의 철판으로 할 것
② 하나의 전용회로에 설치하는 비상콘센트는 10개 이하로 할 것
③ 콘센트마다 배선용 차단기(KS C 8321)를 설치하여야 하며, 충전부가 노출되지 아니하도록 할 것
④ 전원회로는 단상교류 220[V]인 것으로서, 그 공급용량은 3[kVA] 이상인 것으로 할 것

해설 5번 해설 참조

08 비상콘센트설비의 화재안전기준(NFSC 504)에 따른 비상콘센트설비의 전원회로(비상콘센트에 전력을 공급하는 회로를 말한다)의 시설기준으로 옳은 것은? [20년 1회]

① 하나의 전용회로에 설치하는 비상콘센트는 12개 이하로 할 것
② 전원회로는 단상교류 220[V]인 것으로서, 그 공급용량은 1.0[kVA] 이상인 것으로 할 것
③ 비상콘센트용의 풀박스 등은 방청도장을 한 것으로서, 두께 1.2[mm] 이상의 철판으로 할 것
④ 전원으로부터 각 층의 비상콘센트에 분기되는 경우에는 분기배선용 차단기를 보호함 안에 설치할 것

핵심 예제

해설 5번 해설 참조

09 비상콘센트설비 전원회로의 설치기준 중 틀린 것은? [18년 2회]

① 전원회로는 3상교류 380[V]인 것으로서, 그 공급용량은 3[kVA] 이상인 것으로 하여야 한다.
② 전원회로는 각층에 2 이상이 되도록 설치할 것. 다만, 설치하여야 할 층의 비상콘센트가 1개인 때에는 하나의 회로로 할 수 있다.
③ 비상콘센트용의 풀박스 등은 방청도장을 한 것으로서, 두께 1.6[mm] 이상의 철판으로 하여야 한다.
④ 하나의 전용회로에 설치하는 비상콘센트는 10개 이하로 할 것. 이 경우 전선의 용량은 각 비상콘센트(비상콘센트가 3개 이상인 경우에는 3개)의 공급용량을 합한 용량 이상의 것으로 하여야 한다.

해설 5번 해설 참조

10 **비상콘센트설비의 설치기준으로 틀린 것은?** [19년 2회]

① 개폐기에는 "비상콘센트"라고 표시한 표지를 할 것

② 하나의 전용회로에 설치하는 비상콘센트는 10개 이하로 할 것

③ 비상전원을 실내에 설치하는 때에는 그 실내에 비상조명등을 설치할 것

④ 비상전원은 비상콘센트설비를 유효하게 10분 이상 작동시킬 수 있는 용량으로 할 것

해설 5번 해설 참조

11 **비상콘센트설비의 화재안전기준(NFSC 504)에 따라 하나의 전용회로에 단상교류 비상콘센트 6개를 연결하는 경우, 전선의 용량은 몇 [kVA] 이상이어야 하는가?** [21년 1회]

① 1.5 ② 3

③ 4.5 ④ 9

해설 5번 해설 참조

12 **비상콘센트설비 전원회로의 설치기준 중 옳은 것은?** [17년 2회]

① 전원회로는 단상교류 220[V]인 것으로서, 그 공급용량은 3.0[kVA] 이상인 것으로 할 것

② 비상콘센트용의 풀박스 등은 방청도장을 한 것으로, 두께 2.0[mm] 이상의 철판으로 할 것

③ 하나의 전용회로에 설치하는 비상콘센트는 8개 이하로 할 것

④ 전원으로부터 각 층의 비상콘센트에 분기되는 경우에는 분기배선용 차단기를 보호함 안에 설치할 것

해설 5번 해설 참조

10 ④ 11 ③ 12 ④ 정답

13 비상콘센트설비의 화재안전기준(NFSC 504)에 따라 비상콘센트용 풀박스 등은 방청도장을 한 것으로서, 두께 몇 [mm] 이상의 철판으로 하여야 하는가? [20년 3회]

① 1.2
② 1.6
③ 2.0
④ 2.4

해설 5번 해설 참조

14 비상콘센트설비의 화재안전기준(NFSC 504)에 따라 비상콘센트설비의 전원부와 외함 사이의 절연저항은 전원부와 외함 사이를 500[V] 절연저항계로 측정할 때 몇 [MΩ] 이상이어야 하는가? [17년 1회, 20년 1·2회, 21년 2회]

① 20
② 30
③ 40
④ 50

해설 5번 해설 참조

핵심
예제

15 비상콘센트설비의 전원부와 외함 사이의 절연내력 기준 중 다음 (   ) 안에 알맞은 것은? [18년 1회, 1회]

절연내력은 전원부와 외함 사이에 정격전압이 150[V] 이하인 경우에는 (㉠)[V]의 실효전압을, 정격전압이 150[V] 이상인 경우에는 그 정격전압에 (㉡)을 곱하여 1,000을 더한 실효전압을 가하는 시험에서 1분 이상 견디는 것으로 할 것

① ㉠ 500, ㉡ 2
② ㉠ 500, ㉡ 3
③ ㉠ 1,000, ㉡ 2
④ ㉠ 1,000, ㉡ 3

해설 절연내력시험
• 150[V] 이하 : 1,000[V]의 실효전압을 가하여 1분 이상 견딜 것
• 150[V] 이상 : (정격전압 × 2) + 1,000[V]의 실효전압을 가하여 1분 이상 견딜 것

16 비상콘센트설비의 화재안전기준(NFSC 504)에 따라 아파트 또는 바닥면적이 1,000[m²] 미만인 층은 비상콘센트를 계단의 출입구로부터 몇 [m] 이내에 설치해야 하는가?(단, 계단의 부속실을 포함하며 계단이 2 이상 있는 경우에는 그중 1개의 계단을 말한다) [20년 내회]

① 10

② 8

③ 5

④ 3

해설 **설치 거리, 배치**
• 비상콘센트의 배치는 아파트 또는 바닥면적이 1,000[m²] 미만인 층은 계단의 출입구(계단의 부속실을 포함하며 계단이 2 이상 있는 경우에는 그중 1개의 계단을 말한다)로부터 5[m] 이내 설치할 것
• 바닥면적 1,000[m²] 이상인 층(아파트 제외)은 각 계단의 출입구 또는 계단부속실의 출입구(계단의 부속실을 포함하며 계단이 3 이상 있는 층의 경우에는 그중 2개의 계단을 말한다)로부터 5[m] 이내에 설치할 것
• 비상콘센트 추가 설치
  ㉠ 지하상가 또는 지하층 바닥면적의 합계가 3,000[m²] 이상인 것은 수평거리 25[m]마다 추가 설치
  ㉡ ㉠에 해당하지 아니하는 것은 수평거리 50[m]마다 추가 설치

핵심
예제

17 비상콘센트설비의 화재안전기준(NFSC 504)에 따른 비상콘센트의 시설기준에 적합하지 않은 것은? [20년 1·2회]

① 바닥으로부터 높이 1.45[m]에 움직이지 않게 고정시켜 설치된 경우

② 바닥면적이 800[m²]인 층의 계단의 출입구로부터 4[m]에 설치된 경우

③ 바닥면적의 합계가 12,000[m²]인 지하상가의 수평거리 30[m]마다 추가 설치한 경우

④ 바닥면적의 합계가 2,500[m²]인 지하층의 수평거리 40[m]마다 추가로 설치된 경우

해설 16번 해설 참조

18 비상콘센트를 보호하기 위한 비상콘센트 보호함의 설치기준으로 틀린 것은? [19년 2회]

① 비상콘센트 보호함에는 쉽게 개폐할 수 있는 문을 설치하여야 한다.

② 비상콘센트 보호함 상부에 적색의 표시등을 설치하여야 한다.

③ 비상콘센트 보호함에는 그 내부에 "비상콘센트"라고 표시한 표식을 하여야 한다.

④ 비상콘센트 보호함을 옥내소화전함 등과 접속하여 설치하는 경우에는 옥내소화전함 등의 표시등과 겸용할 수 있다.

> **해설** 비상콘센트 보호함의 시설기준
> • 보호함에는 쉽게 개폐할 수 있는 문을 설치하여야 한다.
> • 보호함 표면에 "비상콘센트"라고 표시한 표지를 하여야 한다.
> • 보호함 상부에 적색의 표시등을 설치하여야 한다(단, 비상콘센트의 보호함을 옥내소화전함 등과 접속하여 설치하는 경우에는 옥내소화전함 등의 표시등과 겸용할 수 있다).

19 비상콘센트설비의 성능인증 및 제품검사의 기술기준에 따른 비상콘센트설비 표시등의 구조 및 기능에 대한 설명으로 틀린 것은? [21년 2회]

① 발광다이오드에는 적당한 보호커버를 설치하여야 한다.

② 소켓은 접속이 확실하여야 하며 쉽게 전구를 교체할 수 있도록 부착하여야 한다.

③ 적색으로 표시되어야 하며 주위의 밝기가 300[lx] 이상인 장소에서 측정하여 앞면으로부터 3[m] 떨어진 곳에서 켜진 등이 확실히 식별되어야 한다.

④ 전구는 사용전압의 130[%]인 교류전압을 20시간 연속하여 가하는 경우 단선, 현저한 광속변화, 흑화, 전류의 저하 등이 발생하지 아니하여야 한다.

> **해설** 비상콘센트설비에 부품을 사용하는 경우 해당 각호의 규정에 적합하거나 이와 동등 이상의 성능이 있는 것이어야 한다.
> • 배선용차단기는 KS C 8321(배선용차단기)에 적합하여야 한다.
> • 접속기는 KS C 8305(배선용 꽂음 접속기)에 적합하여야 한다.
> • 표시등의 구조 및 기능은 다음과 같아야 한다.
>   – 전구는 사용전압의 130[%]인 교류전압을 20시간 연속하여 가하는 경우 단선, 현저한 광속변화, 흑화, 전류의 저하 등이 발생하지 아니하여야 한다.
>   – 소켓은 접속이 확실하여야 하며 쉽게 전구를 교체할 수 있도록 부착하여야 한다.
>   – 전구에는 적당한 보호커버를 설치하여야 한다. 다만, 발광다이오드의 경우에는 그러하지 아니하다.
>   – 적색으로 표시되어야 하며 주위의 밝기가 300[lx] 이상인 장소에서 측정하여 앞면으로부터 3[m] 떨어진 곳에서 켜진 등이 확실히 식별되어야 한다.
> • 단자는 충분한 전류용량을 갖는 것으로 하여야 하며 단자의 접속이 정확하고 확실하여야 한다.

핵심
예제

안심Touch

20 비상콘센트설비의 성능인증 및 제품검사의 기술기준에 따른 표시등의 구조 및 기능에 대한 내용이다. 다음 ( )에 들어갈 내용으로 옳은 것은? [21년 1회]

> 적색으로 표시되어야 하며 주위의 밝기가 (㉠)[lx] 이상인 장소에서 측정하여 앞면으로부터 (㉡)[m] 떨어진 곳에서 켜진 등이 확실히 식별되어야 한다.

① ㉠ 100, ㉡ 1
② ㉠ 300, ㉡ 3
③ ㉠ 500, ㉡ 5
④ ㉠ 1,000, ㉡ 10

해설 19번 해설 참조

21 비상콘센트설비의 성능인증 및 제품검사의 기술기준에 따라 비상콘센트설비에 사용되는 부품에 대한 설명으로 틀린 것은? [20년 3회]

① 진공차단기는 KS C 8321(진공차단기)에 적합하여야 한다.
② 접속기는 KS C 8305(배선용 꽂음 접속기)에 적합하여야 한다.
③ 표시등의 소켓은 접속이 확실하여야 하며 쉽게 전구를 교체할 수 있도록 부착하여야 한다.
④ 단자는 충분한 전류용량을 갖는 것으로 하여야 하며 단자의 접속이 정확하고 확실하여야 한다.

해설 19번 해설 참조

22 비상콘센트설비의 설치기준 중 다음 ( ) 안에 알맞은 것은? [18년 2회]

> 도로터널의 비상콘센트설비는 주행차로의 우측 측벽에 ( )[m] 이내의 간격으로 바닥으로부터 0.8[m] 이상 1.5[m] 이하의 높이에 설치할 것

① 15
② 25
③ 30
④ 50

해설 비상콘센트를 터널에 설치 시 주행차로의 우측 측벽에 50[m] 이내의 간격으로 설치할 것

제2절 무선통신보조설비

1 개 요

화재 시 방재센터, 지하가 또는 지상에서 소화활동을 지휘하는 소방대원 간에 원활한 무선통신을 할 수 있도록 하는 설비이다.

2 구성요소

명 칭	정 의	심 벌	비 고
누설동축케이블	동축케이블의 외부도체에 가느다란 홈을 만들어 전화가 외부로 새어나갈 수 있도록 한 케이블(정합손실이 큰 것을 사용) ※ 동축케이블 : 유도장해를 방지하기 위해 전파가 누설되지 않게 한 케이블(정합손실이 작은 것)	———	천장에 은폐배선인 경우 — ‧ — ‧ —
무선기(기) 접속단자	무선기기를 접속하여 사용하기 위한 접속단자	◎	• 소방용 : ◎F • 경찰용 : ◎P • 자위용 : ◎G
전송장치 (안테나)	무선기기의 신호를 송·수신하기 위한 설비	▽	내열형 : ▽H
분배기	신호의 전송로가 분기되는 장소에 설치하는 것으로 임피던스 매칭과 신호의 균등분배를 위해 사용하는 장치	⊟	
분파기	서로 다른 주파수의 합성된 신호를 분리하기 위해서 사용하는 장치	F	
혼합기	두 개 이상의 입력신호를 원하는 비율로 조합한 출력이 발생하도록 하는 장치		
증폭기	신호 전송 시 신호가 약해져 수신이 불가능해지는 것을 방지하기 위해서 증폭하는 장치		
옥외안테나	감시제어반 등에 설치된 무선중계기의 입력, 출력 포트에 연결되어 송수신 신호를 원활하게 방사·수신하기 위한 설비		
무선중계기	안테나를 통하여 수신된 무전기 신호를 증폭한 후 음영지역에 재방사하여 무전기 상호 간 송수신이 가능하도록 하는 장치		

3 설치대상

① 지하가(터널은 제외)로서 연면적 $1,000[m^2]$ 이상인 것
② 지하층의 바닥면적의 합계가 $3,000[m^2]$ 이상인 것 또는 지하층의 층수가 3층 이상이고, 지하층의 바닥면적의 합계가 $1,000[m^2]$ 이상인 것은 지하층의 모든 층
③ 지하가 중 터널로서 길이가 $500[m]$ 이상인 것
④ 공동구
⑤ 층수가 30층 이상인 것으로서 16층 이상 부분의 모든 층

4 설치기준

(1) 누설동축케이블 등 설치기준

① 소방전용 주파수대에서 전파의 전송 또는 복사에 적합한 것으로 소방전용의 것으로 할 것(단, 소방대 상호 간의 무선연락에 지장이 없는 경우에는 다른 용도와 겸용할 수 있다)
② 누설동축케이블과 이에 접속하는 안테나 또는 동축케이블과 이에 접속하는 안테나에 따른 것으로 할 것
③ 누설동축케이블 및 동축케이블은 불연 또는 난연성의 것으로서 습기에 따라 전기의 특성이 변질되지 아니하는 것으로 하고 노출하여 설치한 경우에는 피난 및 통행에 장애가 없도록 할 것
④ 누설동축케이블 및 동축케이블은 화재에 따라 해당 케이블의 피복이 소실된 경우에 케이블 본체가 떨어지지 아니하도록 $4[m]$ 이내마다 금속제 또는 자기제 등의 지지금구로 벽·천장·기둥 등에 견고하게 고정시킬 것. 다만, 불연재료로 구획된 반자 안에 설치하는 경우에는 그러하지 아니다.
⑤ 누설동축케이블 및 안테나는 금속판 등에 따라 전파의 복사 또는 특성이 현저하게 저하되지 아니하는 위치에 설치할 것
⑥ 누설동축케이블 및 안테나는 고압의 전로로부터 $1.5[m]$ 이상 떨어진 위치에 설치할 것(해당 전로에 정전기 차폐장치를 유효하게 설치한 경우에는 제외)
⑦ 누설동축케이블의 끝부분에는 무반사 종단저항을 견고하게 설치할 것

종단저항	무반사 종단저항
감지기회로의 도통시험을 용이하게 하기 위하여 감지기회로의 끝부분에 설치하는 저항	전송로로 전송되는 전자파가 전송로의 종단에서 반사되어 교신을 방해하는 것을 막기 위해 누설동축케이블의 끝부분에 설치하는 저항

⑧ 누설동축케이블 또는 동축케이블의 임피던스는 $50[\Omega]$으로 하고, 이에 접속하는 안테나·분배기 기타의 장치는 해당 임피던스에 적합한 것으로 하여야 한다.

(2) 옥외안테나

① 건축물, 지하가, 터널 또는 공동구의 출입구 및 출입구 인근에서 통신이 가능한 장소에 설치할 것
② 다른 용도로 사용되는 안테나로 인한 통신장애가 발생하지 않도록 설치할 것
③ 옥외안테나는 견고하게 설치하며 파손의 우려가 없는 곳에 설치하고 그 가까운 곳의 보기 쉬운 곳에 "무선통신보조설비 안테나"라는 표시와 함께 통신 가능거리를 표시한 표지를 설치할 것
④ 수신기가 설치된 장소 등 사람이 상시 근무하는 장소에는 옥외안테나의 위치가 모두 표시된 옥외안테나 위치표시도를 비치할 것

(3) 무선기기 접속단자 설치기준

① 단자는 바닥으로부터 높이 0.8[m] 이상 1.5[m] 이하의 위치에 설치할 것
② 지상에 설치하는 접속단자는 보행거리 300[m] 이내마다 설치하고, 다른 용도로 사용되는 접속단자에서 5[m] 이상의 거리를 둘 것
③ 단자의 보호함의 표면에 "무선기 접속단자"라고 표시한 표지를 할 것

(4) 분배기, 분파기 및 혼합기 등의 설치기준

① 먼지·습기 및 부식 등에 따라 기능에 이상을 가져오지 아니하도록 할 것
② 임피던스는 50[Ω]의 것으로 할 것
③ 점검에 편리하고 화재 등의 재해로 인한 피해의 우려가 없는 장소에 설치할 것

(5) 증폭기 및 무선이동 중계기 설치기준

① 전원은 전기가 정상적으로 공급되는 축전지, 전기저장장치(외부 전기에너지를 저장해 두었다가 필요한 때 전기를 공급하는 장치) 또는 교류전압 옥내간선으로 하고, 전원까지의 배선은 전용으로 할 것
② 증폭기의 전면에는 주 회로의 전원이 정상인지의 여부를 표시할 수 있는 표시등 및 전압계를 설치할 것
③ 증폭기에는 비상전원이 부착된 것으로 하고 해당 비상전원용량은 무선통신보조설비를 유효하게 30분 이상 작동시킬 수 있는 것으로 할 것
④ 디지털 방식의 무전기를 사용하는 데 지장이 없도록 설치할 것

(6) 설치제외

지하층으로서 특정소방대상물의 바닥부분 2면 이상이 지표면과 동일하거나 지표면으로부터 깊이가 1[m] 이하인 경우에는 해당 층에 한하여 무선통신보조설비를 설치하지 아니할 수 있다.

5	종 류	외 관	설치비	통화범위
	안테나 방식	양 호	고 가	안테나의 설치위치에 따라 영향을 많이 받음
	누설동축케이블 방식	노출 부분이 많다.	저 가	넓다.
	안테나 + 누설동축케이블 혼합방식			

제3절 제연설비

1 개 요

화재 시 발생한 연기를 막거나 배출하여, 연기가 계단·전실·복도 및 거실에 침입하는 것을 방지하는 설비

2 설치기준

(1) 제연설비 : 보, 제연경계벽, 벽(가동벽, 셔터, 방화문 포함)

① 재질은 내화재료, 불연재료 또는 제연경계벽으로 성능을 인정받은 것

② 제연경계는 제연경계의 폭이 0.6[m] 이상이고, 수직거리는 2[m] 이내. 다만, 구조상 불가피한 경우는 2[m]를 초과할 수 있다.

(2) 제연구역의 기준

① 하나의 제연구역의 면적 : 1,000[m²] 이내

② 거실과 통로(복도를 포함)는 상호 제연구획

③ 통로상의 제연구역은 보행중심선의 길이가 60[m]를 초과하지 아니할 것

④ 하나의 제연구역은 직경 60[m] 원 내에 들어갈 수 있을 것

⑤ 하나의 제연구역은 2개 이상 층에 미치지 아니하도록 할 것

3 전원 및 기동

① 비상전원 : 자가발전설비, 축전지설비, 전기저장장치

  ㉠ 점검에 편리하고 화재 및 침수 등의 재해로 인한 피해를 받을 우려가 없는 곳에 설치할 것

  ㉡ 제연설비를 유효하게 20분 이상 작동할 수 있도록 할 것

  ㉢ 비상전원을 실내에 설치하는 때에는 그 실내에 비상조명등을 설치할 것

② 가동식의 벽·제연경계벽·댐퍼 및 배출기의 작동은 자동화재감지기와 연동되어야 하며, 예상제연구역(또는 인접장소) 및 제어반에서 수동으로 기동이 가능

제4절 **연결송수관설비**

1 가압송수장치 설치대상

지표면에서 최상층 방수구 높이가 70[m] 이상인 특정소방대상물

2 가압송수장치의 설치기준

수동스위치는 2개 이상을 설치, 그중 1개는 송수구의 부근에 설치

① 송수구로부터 5[m] 이내의 보기 쉬운 장소에 바닥으로부터 높이 0.8[m] 이상 1.5[m] 이하로 설치할 것

② 1.5[mm] 이상의 강판함에 수납하여 설치하고 "연결송수관설비 수동스위치"라고 표시한 표지를 부착할 것. 이 경우 문짝은 불연재료로 설치할 수 있다.

> 내연기관을 사용하는 경우
> • 내연기관의 기동 : 기동장치의 기동을 명시하는 적색등 설치
> • 제어반에 따라 내연기관의 자동기동 및 수동기동이 가능하고, 상시 충전되어 있는 축전지설비를 갖출 것
> • 내연기관의 연료량은 펌프를 20분(층수가 30층 이상 49층 이하는 40분, 50층 이상은 60분) 이상 운전할 수 있는 용량일 것

3 전 원

(1) 비상전원 : 자가발전설비, 축전지설비, 전기저장장치

(2) 비상전원 설치기준

① 연결송수관설비를 유효하게 20분 이상 작동할 수 있어야 할 것

② 비상전원을 실내에 설치할 때는 그 실내에 비상조명등을 설치할 것

핵/심/예/제

01 무선통신보조설비의 화재안전기준(NFSC 505)에 따른 용어의 정의로 옳은 것은? [21년 2회]

① "혼합기"는 신호의 전송로가 분기되는 장소에 설치하는 장치를 말한다.

② "분배기"는 서로 다른 주파수의 합성된 신호를 분리하기 위해서 사용하는 장치를 말한다.

③ "증폭기"는 두 개 이상의 입력신호를 원하는 비율로 조합한 출력이 발생되도록 하는 장치를 말한다.

④ "누설동축케이블"은 동축케이블의 외부도체에 가느다란 홈을 만들어서 전파가 외부로 새어나갈 수 있도록 한 케이블을 말한다.

해설 구성요소

명 칭	정 의	심 벌	비 고
누설동축케이블	동축케이블의 외부도체에 가느다란 홈을 만들어 전화가 외부로 새어나갈 수 있도록 한 케이블(정합손실이 큰 것을 사용) ※ 동축케이블 : 유도장해를 방지하기 위해 전파가 누설되지 않게 한 케이블(정합손실이 작은 것)	———	천장에 은폐배선인 경우 — – — –
무선기(기)접속단자	무선기기를 접속하여 사용하기 위한 접속단자	⊙	• 소방용 : ⊙F • 경찰용 : ⊙P • 자위용 : ⊙G
전송장치(안테나)	무선기기의 신호를 송·수신하기 위한 설비	△	내열형 : △H
분배기	신호의 전송로가 분기되는 장소에 설치하는 것으로 임피던스 매칭과 신호의 균등분배를 위해 사용하는 장치		
분파기	서로 다른 주파수의 합성된 신호를 분리하기 위해서 사용하는 장치	F	
혼합기	두 개 이상의 입력신호를 원하는 비율로 조합한 출력이 발생하도록 하는 장치		
증폭기	신호 전송 시 신호가 약해져 수신이 불가능해지는 것을 방지하기 위해서 증폭하는 장치		
옥외안테나	감시제어반 등에 설치된 무선중계기의 입력, 출력 포트에 연결되어 송수신 신호를 원활하게 방사·수신하기 위한 설비		
무선중계기	안테나를 통하여 수신된 무전기 신호를 증폭한 후 음영지역에 재방사하여 무전기 상호 간 송수신이 가능하도록 하는 장치		

정답 1 ④

02 신호의 전송로가 분기되는 장소에 설치하는 것으로 임피던스 매칭과 신호 균등분배를 위해 사용되는 장치는? [19년 2회]

① 혼합기
② 분배기
③ 증폭기
④ 분파기

해설 1번 해설 참조

03 무선통신보조설비의 화재안전기준(NFSC 505)에 따라 서로 다른 주파수의 합성된 신호를 분리하기 위하여 사용하는 장치는? [20년 1·2회]

① 분배기
② 혼합기
③ 증폭기
④ 분파기

해설 1번 해설 참조

04 무선통신보조설비의 화재안전기준(NFSC 505)에 따라 무선통신보조설비의 주요 구성요소가 아닌 것은? [21년 1회]

① 증폭기
② 분배기
③ 음향장치
④ 누설동축케이블

해설 1번 해설 참조

05 무선통신보조설비를 설치하여야 하는 특정소방대상물의 기준 중 옳은 것은?(단, 위험물 저장 및 처리시설 중 가스시설은 제외한다)

[17년 4회]

① 지하가(터널은 제외)로서 연면적 500[m²] 이상인 것
② 지하가 중 터널로서 길이가 1,000[m] 이상인 것
③ 층수가 30층 이상인 것으로서 15층 이상 부분의 모든 층
④ 지하층의 층수가 3층 이상이고 지하층의 바닥면적의 합계가 1,000[m²] 이상인 것은 지하층의 모든 층

해설 **무선통신보조설비를 설치하여야 하는 특정소방대상물**
• 지하가(터널은 제외)로서 연면적 1,000[m²] 이상인 것
• 지하층의 바닥면적의 합계가 3,000[m²] 이상인 것 또는 지하층의 층수가 3층 이상이고, 지하층의 바닥면적의 합계가 1,000[m²] 이상인 것은 지하층의 모든 층
• 지하가 중 터널로서 길이가 500[m] 이상인 것
• 공동구
• 층수가 30층 이상인 것으로서 16층 이상 부분의 모든 층

핵심
예제

06 무선통신보조설비를 설치하여야 할 특정소방대상물의 기준 중 다음 (   ) 안에 알맞은 것은?

[18년 2회]

> 층수가 30층 이상인 것으로서 (   )층 이상 부분의 모든 층

① 11
② 15
③ 16
④ 20

해설 5번 해설 참조

정답 5 ④ 6 ③

안심Touch

07 무선통신보조설비의 화재안전기준(NFSC 505)에 따라 금속제 지지금구를 사용하여 무선통신 보조설비의 누설동축케이블을 벽에 고정시키고자 하는 경우 몇 [m] 이내마다 고정시켜야 하는가?(단, 불연재료로 구획된 반자 안에 설치하는 경우는 제외한다) [20년 3회]

① 2
② 3
③ 4
④ 5

해설 **누설동축케이블 등 설치기준**
- 소방전용 주파수대에서 전파의 전송 또는 복사에 적합한 것으로 소방전용의 것으로 할 것(단, 소방대 상호 간의 무선연락에 지장이 없는 경우에는 다른 용도와 겸용할 수 있다)
- 누설동축케이블과 이에 접속하는 안테나 또는 동축케이블과 이에 접속하는 안테나에 따른 것으로 할 것
- 누설동축케이블 및 동축케이블은 불연 또는 난연성의 것으로서 습기에 따라 전기의 특성이 변질되지 아니하는 것으로 하고 노출하여 설치한 경우에는 피난 및 통행에 장애가 없도록 할 것
- 누설동축케이블 및 동축케이블은 화재에 따라 해당 케이블의 피복이 소실된 경우에 케이블 본체가 떨어지지 아니하도록 4[m] 이내마다 금속제 또는 자기제 등의 지지금구로 벽·천장·기둥 등에 견고하게 고정시킬 것. 다만, 불연재료로 구획된 반자 안에 설치하는 경우에는 그러하지 아니하다.
- 누설동축케이블 및 안테나는 금속판 등에 따라 전파의 복사 또는 특성이 현저하게 저하되지 아니하는 위치에 설치할 것
- 누설동축케이블 및 안테나는 고압의 전로로부터 1.5[m] 이상 떨어진 위치에 설치할 것(해당 전로에 정전기 차폐장치를 유효하게 설치한 경우에는 제외)
- 누설동축케이블의 끝부분에는 무반사 종단저항을 견고하게 설치할 것

종단저항	무반사 종단저항
감지기회로의 도통시험을 용이하게 하기 위하여 감지기회로의 끝부분에 설치하는 저항	전송로로 전송되는 전자파가 전송로의 종단에서 반사되어 교신을 방해하는 것을 막기 위해 누설동축케이블의 끝부분에 설치하는 저항

- 누설동축케이블 또는 동축케이블의 임피던스는 50[Ω]으로 하고, 이에 접속하는 안테나·분배기 기타의 장치는 해당 임피던스에 적합한 것으로 하여야 한다.

08 무선통신보조설비의 누설동축케이블의 설치기준으로 틀린 것은? [19년 1회]

① 끝부분에는 반사 종단저항을 견고하게 설치할 것
② 고압의 전로로부터 1.5[m] 이상 떨어진 위치에 설치할 것
③ 금속판 등에 따라 전파의 복사 또는 특성이 현저하게 저하되지 아니하는 위치에 설치할 것
④ 불연 또는 난연성의 것으로서 습기에 따라 전기의 특성이 변질되지 아니하는 것으로 설치할 것

해설 7번 해설 참조

09 무선통신보조설비의 화재안전기준(NFSC 505)에 따라 무선통신보조설비의 누설동축케이블 및 안테나는 고압의 전로로부터 1.5[m] 이상 떨어진 위치에 설치해야 하나 그렇게 하지 않아도 되는 경우는? [21년 2회]

① 끝부분에 무반사 종단저항을 설치한 경우
② 불연재료로 구획된 반자 안에 설치한 경우
③ 해당 전로에 정전기 차폐장치를 유효하게 설치한 경우
④ 금속제 등의 지지금구로 일정한 간격으로 고정한 경우

해설 7번 해설 참조

10 무선통신보조설비의 화재안전기준(NFSC 505)에 따라 무선통신보조설비의 누설동축케이블의 설치기준으로 틀린 것은? [19년 4회]

① 누설동축케이블은 불연 또는 난연성으로 할 것
② 누설동축케이블의 중간 부분에는 무반사 종단저항을 견고하게 설치할 것
③ 누설동축케이블 및 안테나는 고압의 전로로부터 1.5[m] 이상 떨어진 위치에 설치할 것
④ 누설동축케이블과 이에 접속하는 안테나 또는 동축케이블과 이에 접속하는 안테나로 구성할 것

해설 7번 해설 참조

11 무선통신보조설비의 화재안전기준(NFSC 505)에 따라 누설동축케이블 또는 동축케이블의 임피던스는 몇 [Ω]인가? [17년 2회, 20년 4회]

① 5
② 10
③ 30
④ 50

해설 7번 해설 참조

12 무선통신보조설비의 화재안전기준(NFSC 505)에 따른 무선기기의 접속단자에 대한 시설기준이다. 다음 ( )에 들어갈 내용으로 옳은 것은? [17년 4회, 18년 4회, 19년 1회, 20년 3회]

> 지상에 설치하는 접속단자는 보행거리 ( )[m] 이내마다 설치하고, 다른 용도로 사용되는 접속단자에서 ( )[m] 이상의 거리를 둘 것

① ㉠ 300, ㉡ 3
② ㉠ 300, ㉡ 5
③ ㉠ 500, ㉡ 3
④ ㉠ 500, ㉡ 5

해설 **무선기기 접속단자 설치기준**
- 단자는 바닥으로부터 높이 0.8[m] 이상 1.5[m] 이하의 위치에 설치할 것
- 지상에 설치하는 접속단자는 보행거리 300[m] 이내마다 설치하고, 다른 용도로 사용되는 접속단자에서 5[m] 이상의 거리를 둘 것
- 단자의 보호함의 표면에 "무선기 접속단자"라고 표시한 표지를 할 것

13 무선통신보조설비의 분배기·분파기 및 혼합기의 설치기준 중 틀린 것은? [18년 4회]

① 먼지·습기 및 부식 등에 따라 기능에 이상을 가져오지 아니하도록 할 것
② 임피던스는 50[Ω]의 것으로 할 것
③ 전원은 전기가 정상적으로 공급되는 축전지, 전기저장장치 또는 교류전압 옥내간선으로 하고, 전원까지의 배선은 전용으로 할 것
④ 점검에 편리하고 화재 등의 재해로 인한 피해의 우려가 없는 장소에 설치할 것

해설 **분배기, 분파기 및 혼합기 등의 설치기준**
- 먼지·습기 및 부식 등에 따라 기능에 이상을 가져오지 아니하도록 할 것
- 임피던스는 50[Ω]의 것으로 할 것

14 무선통신보조설비의 화재안전기준(NFSC 505)에 따라 무선통신보조설비의 주회로 전원이 정상인지 여부를 확인하기 위해 증폭기의 전면에 설치하는 것은? [17년 1회, 20년 1·2회]

① 상순계

② 전류계

③ 전압계 및 전류계

④ 표시등 및 전압계

> **해설** **증폭기 및 무선이동 중계기 설치기준**
> • 전원은 전기가 정상적으로 공급되는 축전지, 전기저장장치 또는 교류전압 옥내간선으로 하고, 전원까지의 배선은 전용으로 할 것
> • 증폭기의 전면에는 주 회로의 전원이 정상인지의 여부를 표시할 수 있는 표시등 및 전압계를 설치할 것
> • 증폭기에는 비상전원이 부착된 것으로 하고 해당 비상전원용량은 무선통신보조설비를 유효하게 30분 이상 작동시킬 수 있는 것으로 할 것

핵심
예제

15 무선통신보조설비 증폭기 무선이동중계기를 설치하는 경우의 설치기준으로 틀린 것은?

[17년 2회]

① 전원은 전기가 정상적으로 공급되는 축전지, 전기저장장치 또는 교류전압 옥내간선으로 하고, 전원까지의 배선은 전용으로 할 것

② 증폭기의 전면에는 주회로의 전원이 정상인지의 여부를 표시할 수 있는 표시등 및 전류계를 설치할 것

③ 증폭기에는 비상전원이 부착된 것으로 하고, 해당 비상전원 용량은 무선통신보조설비를 유효하게 30분 이상 작동시킬 수 있는 것으로 할 것

④ 무선이동중계기를 설치하는 경우에는 「전파법」의 규정에 따른 적합성평가를 받은 제품으로 설치할 것

> **해설** 14번 해설 참조

정답 14 ④ 15 ②

16 무선통신보조설비의 증폭기에는 비상전원이 부착된 것으로 하고 비상전원의 용량은 무선통신보조설비를 유효하게 몇 분 이상 작동시킬 수 있는 것이어야 하는가? [18년 2회, 19년 2회]

① 10분
② 20분
③ 30분
④ 40분

해설 14번 해설 참조

17 화재안전기준(NFSC)에 따른 비상전원 및 건전지의 유효 사용시간에 대한 최소 기준이 가장 긴 것은? [21년 2회]

① 휴대용비상조명등의 건전지 용량
② 무선통신보조설비 증폭기의 비상전원
③ 지하층을 제외한 층수가 11층 미만의 층인 특정소방대상물에 설치되는 유도등의 비상전원
④ 지하층을 제외한 층수가 11층 미만의 층인 특정소방대상물에 설치되는 비상조명등의 비상전원

해설 각 설비의 비상전원의 용량

설비의 종류	비상전원용량(이상)
자동화재탐지설비, 자동화재속보설비, 비상경보설비	10분
제연설비, 비상콘센트설비, 옥내소화전설비, 유도등	20분
무선통신보조설비의 증폭기	30분
유도등, 비상조명등(지하상가 및 11층 이상)	60분

18 무선통신보조설비의 화재안전기준(NFSC 505)에 따라 지하층으로서 특정소방대상물의 바닥부분 2면 이상이 지표면과 동일하거나 지표면으로부터의 깊이가 몇 [m] 이하인 경우에는 해당 층에 한하여 무선통신보조설비를 설치하지 않을 수 있는가? [19년 1회, 21년 1회]

① 0.5
② 1.0
③ 1.5
④ 2.0

해설 무선통신보조설비의 설치제외
지하층으로서 특정소방대상물의 바닥부분 2면 이상이 지표면과 동일하거나 지표면으로부터 깊이가 1[m] 이하인 경우에는 해당 층에 한하여 무선통신보조설비를 설치하지 아니할 수 있다.

16 ③ 17 ② 18 ② 정답

19 무선통신보조설비의 화재안전기준(NFSC 505)에 따른 설치제외에 대한 내용이다. 다음 ( )에 들어갈 내용으로 옳은 것은? [18년 1회, 20년 11회]

> (ⓐ)으로서 특정소방대상물의 바닥 부분 2면 이상이 지표면과 동일하거나 지표면으로부터의 깊이가 (ⓑ)[m] 이하인 경우에는 해당 층에 한하여 무선통신보조설비를 설치하지 아니할 수 있다.

① ⓐ 지하층, ⓑ 1
② ⓐ 지하층, ⓑ 2
③ ⓐ 무창층, ⓑ 1
④ ⓐ 무창층, ⓑ 2

해설 18번 해설 참조

20 무선통신보조설비의 설치제외 기준 중 다음 ( ) 안에 알맞은 것으로 연결된 것은? [17년 1회]

> 지하층으로서 특정소방대상물의 바닥부분 (㉠)면 이상이 지표면과 동일하거나 지표면으로부터의 깊이가 (㉡)[m] 이하인 경우에는 해당 층에 한하여 무선통신보조설비를 설치하지 아니할 수 있다.

① ㉠ 2, ㉡ 1　　② ㉠ 2, ㉡ 2
③ ㉠ 3, ㉡ 1　　④ ㉠ 3, ㉡ 2

해설 18번 해설 참조

21 소화활동 시 안내방송에 사용하는 증폭기의 종류로 옳은 것은? [19년 1회]

① 탁상형
② 휴대형
③ Desk형
④ Rack형

해설 소화활동 시 안내방송에 사용하는 증폭기 : 휴대형 증폭기

정답 19 ① 20 ① 21 ②

22 3선식 배선에 따라 상시 충전되는 유도등의 전기회로에 점멸기를 설치하는 경우 유도등이 점등되어야 할 경우로 관계없는 것은?

[19년 2회]

① 제연설비가 작동한 때
② 자동소화설비가 작동한 때
③ 비상경보설비의 발신기가 작동한 때
④ 자동화재탐지설비의 감지기가 작동한 때

해설 3선식 배선 시 점등되어야 하는 경우
- 자동화재탐지설비의 감지기 또는 발신기가 작동되는 때
- 비상경보설비의 발신기가 작동되는 때
- 상용전원이 정전되거나 전원선이 단선되는 때
- 방재업무를 통제하는 곳 또는 전기실의 배전반에서 수동으로 점등하는 때
- 자동소화설비가 작동되는 때

핵심
예제

22 ① 정답

CHAPTER 04 기타(소방전기시설)

1 개 요

전원은 상용전원설비, 비상전원설비, 예비전원설비 3종류가 있다.

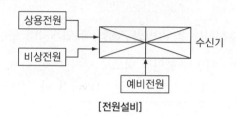

[전원설비]

2 용어 정의

용 어	정 의
소방회로	소방부하에 전원을 공급하는 전기회로
일반회로	소방회로 이외의 전기회로
수전설비	전력수급용 계기용변성기 · 주차단장치 및 그 부속기기
변전설비	전력용변압기 및 그 부속기기
전용큐비클식	소방회로용의 것으로 수전설비, 변전설비 그 밖의 기기 및 배선을 금속제 외함에 수납한 것
전용배전반	소방회로 전용의 것으로서 개폐기, 과전류차단기, 계기 그 밖의 배선용기기 및 배선을 금속제 외함에 수납한 것
전용분전반	소방회로 전용의 것으로서 분기 개폐기, 분기과전류차단기 그 밖의 배선용기기 및 배선을 금속제 외함에 수납한 것
공용큐비클식	소방회로 및 일반회로 겸용의 것으로서 수전설비, 변전설비 그 밖의 기기 및 배선을 금속제 외함에 수납한 것
공용배전반	소방회로 및 일반회로 겸용의 것으로서 개폐기, 과전류 차단기, 계기 그 밖의 배선용 기기 및 배선을 금속제 외함에 수납한 것
공용분전반	소방회로 및 일반회로 겸용의 것으로서 분기 개폐기, 분기 과전류차단기 그 밖의 배선용기기 및 배선을 금속제 외함에 수납한 것
보통충전	필요할 때마다 표준시간율로 충전하는 방식
급속충전	보통 충전전류의 2배의 전류로 충전하는 방식
부동충전	전지의 자기방전을 보충함과 동시에 상용부하에 대한 전력공급은 충전기가 부담하되 부담하기 어려운 일시적인 대전류부하는 축전지가 부담하도록 하는 방식(가장 많이 사용)
균등충전	각 축전지의 전위차를 보정하기 위해 1~3개월마다 10~12시간으로 1회 충전하는 방식
세류충전(트리클 충전)	자기 방전량만 상시 충전하는 방식
인입선	수용장소 인입구에 이르는 선

부동충전방식의 장점
- 축전지의 수명이 연장된다.
- 축전지 용량이 작아도 된다.
- 부하변동에 대한 방전 전압을 일정하게 유지할 수 있다.
- 보수가 용이하다.

3 수전설비

(1) 특고 또는 고압으로 수전하는 경우(방화구획형, 옥외개방형 또는 큐비클형)

소방회로배선은 일반회로배선과 불연성 벽으로 구획할 것. 다만, 소방회로배선과 일반회로배선을 15[cm] 이상 떨어져 설치한 경우는 그러하지 아니한다.

큐비클형 설치기준
- 외함은 두께 2.3[mm] 이상의 강판과 이와 동등 이상의 강도와 내화성능이 있는 것으로 제작하여야 하며, 개구부에는 갑종방화문 또는 을종방화문을 설치할 것
- 전선 인입구 및 인출구에는 금속관 또는 금속제 가요전선관을 쉽게 접속할 수 있도록 할 것

(2) 저압으로 수전하는 경우

① 종류(1・2종)
  ㉠ 전용배전반
  ㉡ 전용분전반
  ㉢ 공용분전반

② 제1종 배전반 및 제1종 분전반 설치기준
  ㉠ 외함은 두께 1.6[mm](전면판 및 문은 2.3[mm]) 이상의 강판과 이와 동등 이상의 강도와 내화성능이 있는 것으로 제작할 것
  ㉡ 외함의 내부는 외부의 열에 의해 영향을 받지 않도록 내열성 및 단열성이 있는 재료를 사용하여 단열할 것. 이 경우 단열부분은 열 또는 진동에 따라 쉽게 변형되지 아니하여야 한다.
  ㉢ 다음에 해당하는 것은 외함에 노출하여 설치할 수 있다.
    ⓐ 표시등(불연성 또는 난연성재료로 덮개를 설치한 것에 한한다)
    ⓑ 전선의 인입구 및 입출구
  ㉣ 외함은 금속관 또는 금속제 가요전선관을 쉽게 접속할 수 있도록 하고, 당해 접속부분에는 단열조치를 할 것

ⓜ 공용배전판 및 공용분전판의 경우 소방회로와 일반회로에 사용하는 배선 및 배선용 기기는 불연재료로 구획되어야 할 것

4 금속관공사

(1) 시설기준

① 전선은 절연전선을 사용할 것
② 관 안에서는 전선의 접속점이 없도록 할 것
③ 관의 두께는 콘크리트에 매설하는 것은 1.2[mm] 이상, 기타의 것은 1[mm] 이상
④ 동일 굵기의 절연전선을 동일관 내에 넣는 경우의 금속관 굵기는 전선의 피복절연물을 포함한 단면적의 총합계가 관 내 단면적의 48[%] 이하가 되도록 결정한다(다른 굵기의 전선은 32[%] 이하)

(2) 규 격

① 금속관 규격품의 표준길이 : 3.6[m]
② 후강전선관 : 10종류(16, 22, 28, 36, 42, 54, 70, 82, 92, 104[mm])
③ 박강전선관 : 7종류(19, 25, 31, 39, 51, 63, 75[mm])

(3) 사용부품

명 칭	용 도
로크너트	금속관 배관 공사에서 박스에 금속관을 고정할 때 사용되며, 6각형과 톱니형이 있다.
부 싱	전선의 절연 피복을 보호하기 위하여 금속관 끝에 취부하여 사용
엔트런스 캡	인입구, 인출구의 금속관 관단에 설치하여 빗물 침입 방지, 금속관 공사에서 수직배관의 상부에 사용되어 비의 침입을 막는 데 가장 좋은 부품
터미널 캡(서비스 캡)	• 저압 가공 인입선에서 금속관 공사로 옮겨지는 곳 또는 금속관으로부터 전선을 뽑아 전동기 단자 부분에 접속할 때 사용 • A형, B형이 있다.
유니언커플링	금속관 상호 접속용으로 관이 고정되어 있을 때 사용
유니버설 엘보	노출 배관공사에서 관을 직각으로 굽히는 곳
노멀밴드	매입공사에서 배관의 직각 굴곡 부분
플로어 박스	바닥 밑으로 매입 배선할 때 사용 및 바닥 밑에 콘센트를 접속할 때 사용
픽스쳐스터드와 히키	무거운 기구를 박스에 취부할 때 사용하는 재료

5 비상전원

(1) 종 류

① 자가발전설비
② 비상전원수전설비
③ 축전지설비
④ 전기저장장치

(2) 비상전원 용량

설비의 종류	비상전원 용량
• 비상경보설비 • 비상방송설비 • 자동화재탐지설비 • 자동화재속보설비	10분 이상
• 소화설비 • 유도등 • 비상조명등 • 제연설비(30층 미만) • 연결송수관설비 • 옥내소화전설비(30층 미만) • 비상콘센트설비 • 물분무소화설비	20분 이상
• 자동화재탐지설비 및 비상방송설비(30층 이상인 경우) • 무선통신보조설비	30분 이상

• 30~49층에 설치하는
  – 옥내소화전설비
  – 제연설비
  – 스프링클러설비
  – 연결송수관설비
	40분 이상

• 50층 이상에 설치하는
  – 옥내소화전설비
  – 스프링클러설비
  – 연결송수관설비
• 11층 이상 또는 지하층·무창층으로서 도소매시장·지하상가·지하역사 등으로부터 피난층에 이르는 부분의 유도등, 비상조명등
• 비상조명등(지하상가 및 지하층을 제외한 11층 이상)
	60분 이상

(3) 비상전원 수전설비 약호와 명칭

약 호	명 칭
CB	전력차단기
PF	전력퓨즈(고압 또는 특별고압용)
F	퓨즈(저압용)
Tr	전력용변압기
S	저압용개폐기 및 과전류차단기
MCCB	배선용 차단기
DS	단로기
EOCR	전자과전류계전기

(4) 축전지 구성요소

① 충전장치
② 보안장치
③ 제어장치
④ 역변환 장치
⑤ 축전지

(5) 축전지 용량 산정

① 시간에 따라 방전전류가 일정한 경우

$$C = \frac{1}{L}KI\,[\text{Ah}]$$

② 시간에 따라 방전전류가 변하는 경우

$$C = \frac{1}{L}[K_1I_1 + K_2(I_2 - I_1) + K_3(I_3 - I_2) + \cdots + K_n(I_n - I_{n-1})]\,[\text{Ah}]$$

여기서, C : 25[℃]에서의 정격방전율 환산 용량[Ah]

L : 용량저하율(보수율)

K : 용량환산시간[h]

I : 방전전류[A]

(6) 부동충전방식

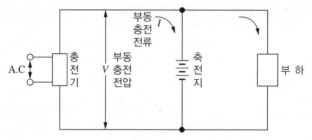

① 충전기 2차 충전전류[A] = $\dfrac{\text{축전지 용량[Ah]}}{\text{방전시간율[h]}} + \dfrac{\text{상시 부하 용량[VA]}}{\text{표준 전압[V]}}$

② 충전기 2차출력 = 표준전압 × 2차 충전전류[kVA]

③ 축전지 1개의 허용최저전압

$$V = \frac{V_a + V_b}{n}\,[\text{V/cell}]$$

여기서, V_a : 부하의 허용 최저전압[V/cell]

V_b : 축전지와 부하 간의 접속선의 전압강하[V]

n : 직렬로 접속한 축전지 개수

(7) 연 축전지와 알칼리 축전지와의 특성비교

종 별		연 축전지		알칼리 축전지	
형식형		클래드식(CS형)	페이스트식(HS형)	포켓식 (AL, AM, AMH, AH형)	소결식(AH, AHH형)
작용물질	양 극	PbO_2		NiOOH	
	음 극	Pb		Cd	
	전해액	H_2SO_4		KOH	
기전력		2.05~2.08[V]		1.32[V]	
공칭전압		2.0[V]		1.2[V]	
공칭용량		10[Ah]		5[Ah]	
충전시간		길다.		짧다.	
수 명		5~15년		15~20년	

6 감시전류와 동작전류

① 등가회로도

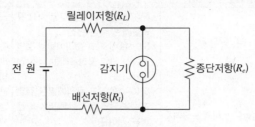

② 감시전류 $= \dfrac{\text{회로전압}}{\text{배선회로저항}(R_l) + \text{종단저항}(R_e) + \text{릴레이저항}(R_L)}$

③ 동작전류 $= \dfrac{\text{회로전압}}{\text{배선회로저항}(R_l) + \text{릴레이저항}(R_L)}$

7 교차회로방식

(1) 정 의

하나의 방호구역 내에 2 이상의 화재감지기회로를 설치, 인접한 2 이상의 감지기가 동시에 감지되는 경우 소화설비가 작동하여 소화약제가 방출되는 방식

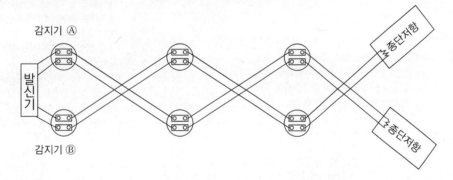

(2) 적용설비

① 준비작동식 스프링클러설비 ② 일제살수식 스프링클러설비
③ 이산화탄소소화설비 ④ 할론 소화설비
⑤ 분말소화설비 ⑥ 할로겐화합물 및 불활성기체 소화설비
⑦ 미분무소화설비 ⑧ 물분무소화설비

8 내화·내열 배선

구 분	성능기준	사용전선	시공방법
내화전선	내화전선의 내화성능은 버너의 노즐에서 75[mm]의 거리에서 온도가 750±5[℃]인 불꽃으로 3시간 동안 가열한 다음 12시간 경과 후 전선 간에 허용전류용량 3[A]의 퓨즈를 연결하여 내화시험 전압을 가한 경우 퓨즈가 단선되지 아니하는 것 또는 소방청장이 정하여 고시한 「소방용전선의 성능인증 및 제품검사의 기술기준」에 적합할 것	• 450/750[V] 저독성 난연 가교 폴리올레핀 절연 전선 • 0.6/1[kV] 가교 폴리에틸렌 절연 저독성 난연 폴리올레핀 시스 전력케이블 • 6/10[kV] 가교 폴리에틸렌 절연 저독성 난연 폴리올레핀 시스 전력용 케이블 • 가교 폴리에틸렌 절연 비닐시스 트레이용 난연 전력 케이블 • 0.6/1[kV] EP 고무절연 클로로프렌 시스 케이블 • 300/500[V] 내열성 실리콘 고무 절연전선(180[℃]) • 내열성 에틸렌-비닐아세테이트 고무 절연 케이블 • 버스덕트(Bus Duct)	금속관·2종 금속제 가요전선관 또는 합성수지관에 수납하여 내화구조로 된 벽 또는 바닥 등에 벽 또는 바닥의 표면으로부터 25[mm] 이상의 깊이로 매설하여야 한다. 다만 다음의 각 기준에 적합하게 설치하는 경우에는 그러하지 아니하다. • 배선을 내화성능을 갖는 배선전용실 또는 배선용 샤프트·피트·덕트 등에 설치하는 경우 • 배선전용실 또는 배선용 샤프트·피트·덕트 등에 다른 설비의 배선이 있는 경우에는 이로부터 15[cm] 이상 떨어지게 하거나 소화설비의 배선과 이웃하는 다른 설비의 배선 사이에 배선지름(배선의 지름이 다른 경우에는 가장 큰 것을 기준으로 한다)의 1.5배 이상의 높이의 불연성 격벽을 설치하는 경우
		내화전선	케이블공사의 방법에 따라 설치하여야 한다.
내열전선	내열전선의 내열성능은 온도가 816±10[℃]인 불꽃을 20분간 가한 후 불꽃을 제거하였을 때 10초 이내에 자연소화가 되고, 전선의 연소된 길이가 180[mm] 이하이거나 가열온도의 값을 한국산업표준(KS F 2257-1)에서 정한 건축구조부분의 내화시험방법으로 15분 동안 380[℃]까지 가열한 후 전선의 연소된 길이가 가열로의 벽으로부터 150[mm] 이하일 것 또는 소방청장이 정하여 고시한 「소방용전선의 성능인증 및 제품검사의 기술기준」에 적합할 것	내화전선과 동일	금속관·금속가요제전선관·금속덕트 또는 케이블(불연성 덕트에 설치하는 경우에 한한다) 공사 방법에 따라야 한다. 다만, 다음의 각 기준에 적합하게 설치하는 경우에는 그러하지 아니하다. • 배선을 내화성능을 갖는 배선전용실 또는 배선용 샤프트·피트·덕트 등에 설치하는 경우 • 배선전용실 또는 배선용 샤프트·피트·덕트 등에 다른 설비의 배선이 있는 경우에는 이로부터 15[cm] 이상 떨어지게 하거나 소화설비의 배선과 이웃하는 다른 설비의 배선 사이에 배선지름(배선의 지름이 다른 경우에는 지름이 가장 큰 것을 기준으로 한다)의 1.5배 이상의 높이의 불연성 격벽을 설치하는 경우
		내화전선·내열전선	케이블공사의 방법에 따라 설치하여야 한다.

※ **전선의 굵기**

① 굵기선정 3요소 : 허용전류, 전압강하, 기계적 강도
② 굵기 계산

전기방식	전선 단면적
단상 2선식	$A = \dfrac{35.6LI}{1,000e}$
3상 3선식	$A = \dfrac{30.8LI}{1,000e}$
단상 3선식 3상 4선식	$A = \dfrac{17.8LI}{1,000e'}$

여기서, A : 전선의 단면적[mm²]
  L : 선로길이[m]
  e : 각 선 간의 전압강하[V]
  e' : 각 선 간의 1선과 중성선 사이의 전압강하[V]

9 전기설비기술기준

(1) 전압의 구분

	교 류	직 류
저 압	1[kV] 이하	1.5[kV] 이하
고 압	1[kV] 초과 7[kV] 이하	1.5[kV] 초과 7[kV] 이하
특고압	7[kV] 초과	

(2) 전선의 식별

① 구 분

상(문자)	색 상
L1	갈 색
L2	흑 색
L3	회 색
N	청 색
보호도체	녹색-노란색

② 색상 식별이 종단 및 연결 지점에서만 이루어지는 나도체 등은 전선 종단부에 색상이 반영구적으로 유지될 수 있는 도색, 밴드, 색 테이프 등의 방법으로 표시해야 한다.

(3) 전선의 접속법

① 전선의 전기저항을 증가시키지 아니하도록 접속한다.

② 전선의 세기(인장하중)를 20[%] 이상 감소시키지 않아야 한다.

③ 도체에 알루미늄 전선과 동 전선을 접속하는 경우에는 접속 부분에 전기적 부식이 생기지 아니하도록 해야 한다.

④ 절연전선 상호·절연전선과 코드, 캡타이어케이블 또는 케이블과 접속하는 경우에는 코드 접속기나 접속함 기타의 기구를 사용해야 한다. 다만, 10[mm^2] 이상인 캡타이어케이블 상호 간을 접속하는 경우에는 그러하지 아니한다.

⑤ 두 개 이상의 전선을 병렬로 사용하는 경우
  ㉠ 각 전선의 굵기는 동선 50[mm^2] 이상 또는 알루미늄 70[mm^2] 이상
  ㉡ 전선은 같은 도체, 같은 재료, 같은 길이 및 같은 굵기의 것을 사용한다.
  ㉢ 병렬로 사용하는 전선에는 각각에 퓨즈를 설치하지 않아야 한다.
  ㉣ 각 극의 전선은 동일한 터미널러그에 완전히 접속(2개 이상의 리벳 또는 2개 이상의 나사로 접속)
  ㉤ 교류회로에서 병렬로 사용하는 전선은 금속관 안에 전자적 불평형이 생기지 않도록 시설해야 한다.

(4) 배선용 심벌

명 칭	그림 기호
천장 은폐 배선	————
바닥 은폐 배선	– – – – –
노출 배선	- - - - - - -

01 소방시설용 비상전원수전설비에서 전력수급용 계기용변성기·주차단장치 및 그 부속기기로 정의되는 것은?

[18년 2회]

① 큐비클설비
② 배전반설비
③ 수전설비
④ 변전설비

해설 용어 정의

용 어	정 의
소방회로	소방부하에 전원을 공급하는 전기회로
일반회로	소방회로 이외의 전기회로
수전설비	전력수급용 계기용변성기·주차단장치 및 그 부속기기
변전설비	전력용변압기 및 그 부속기기
전용큐비클식	소방회로용의 것으로 수전설비, 변전설비 그 밖의 기기 및 배선을 금속제 외함에 수납한 것
전용배전반	소방회로 전용의 것으로서 개폐기, 과전류차단기, 계기 그 밖의 배선용기기 및 배선을 금속제 외함에 수납한 것
전용분전반	소방회로 전용의 것으로서 분기 개폐기, 분기과전류차단기 그 밖의 배선용기기 및 배선을 금속제 외함에 수납한 것
공용큐비클식	소방회로 및 일반회로 겸용의 것으로서 수전설비, 변전설비 그 밖의 기기 및 배선을 금속제 외함에 수납한 것
공용배전반	소방회로 및 일반회로 겸용의 것으로서 개폐기, 과전류 차단기, 계기 그 밖의 배선용 기기 및 배선을 금속제 외함에 수납한 것
공용분전반	소방회로 및 일반회로 겸용의 것으로서 분기 개폐기, 분기 과전류차단기 그 밖의 배선용기기 및 배선을 금속제 외함에 수납한 것
보통충전	필요할 때마다 표준시간율로 충전하는 방식
급속충전	보통 충전전류의 2배의 전류로 충전하는 방식
부동충전	전지의 자기방전을 보충함과 동시에 상용부하에 대한 전력공급은 충전기가 부담하되 부담하기 어려운 일시적인 대전류부하는 축전지가 부담하도록 하는 방식(가장 많이 사용)
균등충전	각 축전지의 전위차를 보정하기 위해 1~3개월마다 10~12시간으로 1회 충전하는 방식
세류충전 (트리클 충전)	자기 방전량만 상시 충전하는 방식
인입선	수용장소 인입구에 이르는 선

02 소방시설용 비상전원수전설비의 화재안전기준(NFSC 602) 용어의 정의에 따라 수용장소의 조영물(토지에 정착한 시설물 중 지붕 및 기둥 또는 벽이 있는 시설물을 말한다)의 옆면 등에 시설하는 전선으로서 그 수용장소의 인입구에 이르는 부분의 전선은 무엇인가?

[21년 1회]

① 인입선
② 내화배선
③ 열화배선
④ 인입구배선

> **해설**　**인입선**
> 가공인입선[가공전선로의 지지물로부터 다른 지지물을 거치지 아니하고 수용장소의 붙임점에 이르는 가공전선(가공전선로의 전선을 말한다)을 말한다] 및 수용장소의 조영물(토지에 정착한 시설물 중 지붕 및 기둥 또는 벽이 있는 시설물을 말한다)의 옆면 등에 시설하는 전선으로서 그 수용장소의 인입구에 이르는 부분의 전선

03 소방시설용 비상전원수전설비의 화재안전기준(NFSC 602)에 따라 일반전기사업자로부터 특별고압 또는 고압으로 수전하는 비상전원 수전설비의 종류에 해당하지 않는 것은?

[21년 2회]

① 큐비클형
② 축전지형
③ 방화구획형
④ 옥외개방형

> **해설**　**특고 또는 고압으로 수전하는 경우(방화구획형, 옥외개방형 또는 큐비클형)**
> 소방회로배선은 일반회로배선과 불연성 벽으로 구획할 것. 다만, 소방회로배선과 일반회로배선을 15[cm] 이상 떨어져 설치한 경우는 그러하지 아니한다.
>
> > **큐비클형 설치기준**
> > • 외함은 두께 2.3[mm] 이상의 강판과 이와 동등 이상의 강도와 내화성능이 있는 것으로 제작하여야 하며, 개구부에는 갑종방화문 또는 을종방화문을 설치할 것
> > • 전선 인입구 및 인출구에는 금속관 또는 금속제 가요전선관을 쉽게 접속할 수 있도록 할 것

04 소방시설용 비상전원수전설비의 화재안전기준(NFSC 602)에 따라 일반전기사업자로부터 특고압 또는 고압으로 수전하는 비상전원 수전설비의 경우에 있어 소방회로배선과 일반회로배선을 몇 [cm] 이상 떨어져 설치하는 경우 불연성 벽으로 구획하지 않을 수 있는가?

[19년 1회]

① 5

② 10

③ 15

④ 20

해설 고압 또는 특별고압으로 수전하는 비상전원 수전설비의 소방회로배선과 일반회로배선은 15[cm] 이상 이격시켜 시설할 것(단, 15[cm] 이하로 설치 시 중간에 불연성 격벽을 시설할 것).

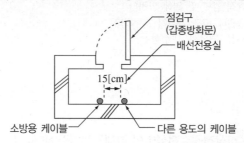

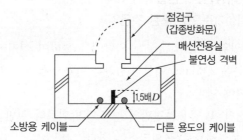

[다른 용도의 배선이 있는 경우에 시공 방법]

05 비상방송설비의 배선공사 종류 중 합성수지관 공사에 대한 설명으로 틀린 것은?

[20년 1·2회]

① 금속관 공사에 비해 중량이 가벼워 시공이 용이하다.
② 절연성이 있어 누전의 우려가 없기 때문에 접지공사가 필요치 않다.
③ 열에 약하며, 기계적 충격 및 중량물에 의한 압력 등 외력에 약하다.
④ 내식성이 있어 부식성 가스가 체류하는 화학공장 등에 적합하며, 금속관과 비교하여 가격이 비싸다.

해설 합성수지관 공사의 특징
- 시공이 용이
- 누전이 없으며, 절연체이므로 접지할 필요가 없다.
- 기계적 강도 및 열에 약하다.
- 금속관에 비해 가격이 저렴하다.
- 내식성, 내유성, 내수성

핵심예제

06 소방시설용 비상전원수전설비의 화재안전기준(NFSC 602)에 따른 제1종 배전반 및 제1종 분전반의 시설기준으로 틀린 것은?

[20년 3회]

① 전선의 인입구 및 입출구는 외함에 노출하여 설치하면 아니 된다.
② 외함의 문은 2.3[mm] 이상의 강판과 이와 동등 이상의 강도와 내화성능이 있는 것으로 제작하여야 한다.
③ 공용배전판 및 공용분전판의 경우 소방회로와 일반회로에 사용하는 배선 및 배선용 기기는 불연재료로 구획되어야 한다.
④ 외함은 금속관 또는 금속제 가요전선관을 쉽게 접속할 수 있도록 하고, 당해 접속부분에는 단열조치를 하여야 한다.

해설 제1종 배전반 및 제1종 분전반 설치기준
- 외함은 두께 1.6[mm](전면판 및 문은 2.3[mm]) 이상의 강판과 이와 동등 이상의 강도와 내화성능이 있는 것으로 제작할 것
- 외함의 내부는 외부의 열에 의해 영향을 받지 않도록 내열성 및 단열성이 있는 재료를 사용하여 단열할 것. 이 경우 단열부분은 열 또는 진동에 따라 쉽게 변형되지 아니하여야 한다.
- 다음에 해당하는 것은 외함에 노출하여 설치할 수 있다.
  - 표시등(불연성 또는 난연성재료로 덮개를 설치한 것에 한한다)
  - 전선의 인입구 및 입출구
- 외함은 금속관 또는 금속제 가요전선관을 쉽게 접속할 수 있도록 하고, 당해 접속부분에는 단열조치를 할 것
- 공용배전판 및 공용분전판의 경우 소방회로와 일반회로에 사용하는 배선 및 배선용 기기는 불연재료로 구획되어야 할 것

Engineer Fire Protection System

소방설비기사(필기) 기본서 시리즈
(전기분야)

소방전기시설의 구조 및 원리
최근 기출문제

Engineer Fire Protection System

소방설비기사(필기) 기본서 시리즈

(전기분야)

소방전기시설의 구조 및 원리

2021년 4회   최근 기출문제

합격의 공식
온라인 강의

잠깐!

혼자 공부하기 힘드시다면 방법이 있습니다.
시대에듀의 동영상강의를 이용하시면 됩니다.

www.sdedu.co.kr ➜ 회원가입(로그인) ➜ 강의 살펴보기

최근 기출문제

01 감지기의 형식승인 및 제품검사의 기술기준에 따라 단독경보형감지기를 스위치 조작에 의하여 화재경보를 정지시킬 경우 화재경보 정지 후 몇 분 이내에 화재경보 정지기능이 자동적으로 해제되어 정상상태로 복귀되어야 하는가?

① 3

② 5

③ 10

④ 15

02 비상콘센트설비의 화재안전기준(NFSC 504)에 따라 하나의 전용회로에 설치하는 비상콘센트는 몇 개 이하로 하여야 하는가?

① 2

② 3

③ 10

④ 20

03 자동화재속보설비의 속보기의 성능인증 및 제품검사의 기술기준에 따라 속보기는 작동신호를 수신하거나 수동으로 동작시키는 경우 20초 이내에 소방관서에 자동적으로 신호를 발하여 통보하되, 몇 회 이상 속보할 수 있어야 하는가?

① 1

② 2

③ 3

④ 4

04 자동화재탐지설비 및 시각경보장치의 화재안전기준(NFSC 203)에 따른 감지기의 설치제외 장소가 아닌 것은?

① 실내의 용적이 20[m³] 이하인 장소

② 부식성가스가 체류하고 있는 장소

③ 목욕실·욕조나 샤워시설이 있는 화장실·기타 이와 유사한 장소

④ 고온도 및 저온도로서 감지기의 기능이 정지되기 쉽거나 감지기의 유지관리가 어려운 장소

05 비상콘센트의 배치와 설치에 대한 현장사항이 비상콘센트설비의 화재안전기준(NFSC 504)에 적합하지 않은 것은?

① 전원회로의 배선은 내화배선으로 되어 있다.

② 보호함에는 쉽게 개폐할 수 있는 문을 설치하였다.

③ 보호함 표면에 "비상콘센트"라고 표시한 표지를 붙였다.

④ 3상 교류 200[V] 전원회로에 대해 비접지형 3극 플러그 접속기를 사용하였다.

06 자동화재탐지설비 및 시각경보장치의 화재안전기준(NFSC 203)에 따라 제2종 연기감지기를 부착높이가 4[m] 미만인 장소에 설치 시 기준 바닥면적은?

① 30[m²]   ② 50[m²]

③ 75[m²]   ④ 150[m²]

07 아래 그림은 자동화재탐지설비의 배선도이다. 추가로 구획된 공간이 생겨 가, 나, 다, 라 감지기를 증설했을 경우, 자동화재탐지설비 및 시각경보장치의 화재안전기준(NFSC 203)에 적합하게 설치한 것은?

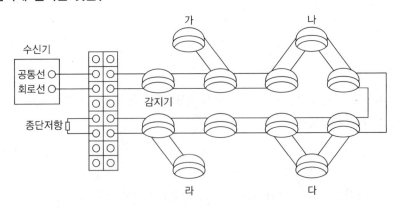

① 가   ② 나

③ 다   ④ 라

08 비상방송설비의 화재안전기준(NFSC 202)에 따라 비상방송설비 음향장치의 설치기준 중 다음 (   )에 들어갈 내용으로 옳은 것은?

> 층수가 (㉠)층 이상으로서 연면적이 (㉡)[m²]를 초과하는 특정소방대상물의 1층에서 발화한 때에는 발화층·그 직상층 및 지하층에 경보를 발할 수 있도록 하여야 한다.

① ㉠ 2, ㉡ 3,500
② ㉠ 3, ㉡ 5,000
③ ㉠ 5, ㉡ 3,000
④ ㉠ 6, ㉡ 1,500

09 유도등의 형식승인 및 제품검사의 기술기준에 따른 용어의 정의에서 "유도등에 있어서 표시면 외 조명에 사용되는 면"을 말하는 것은?

① 조사면
② 피난면
③ 조도면
④ 광속면

10 자동화재탐지설비 및 시각경보장치의 화재안전기준(NFSC 203)에 따라 부착높이 20[m] 이상에 설치되는 광전식 중 아날로그방식의 감지기는 공칭감지농도 하한값이 감광률 몇 [%/m] 미만인 것으로 하는가?

① 3
② 5
③ 7
④ 10

11 비상조명등의 우수품질인증 기술기준에 따라 인출선인 경우 전선의 굵기는 몇 [mm²] 이상이어야 하는가?

① 0.5
② 0.75
③ 1.5
④ 2.5

12 누전경보기의 형식승인 및 제품검사의 기술기준에 따른 과누전시험에 대한 내용이다. 다음
( )에 들어갈 내용으로 옳은 것은?

> 변류기는 1개의 전선을 변류기에 부착시킨 회로를 설치하고 출력단자에 부하저항을 접속한
> 상태로 당해 1개의 전선에 변류기의 정격전압의 (㉠)[%]에 해당하는 수치의 전류를 (㉡)분
> 간 흘리는 경우 그 구조 또는 기능에 이상이 생기지 아니하여야 한다.

① ㉠ 20, ㉡ 5
② ㉠ 30, ㉡ 10
③ ㉠ 50, ㉡ 15
④ ㉠ 80, ㉡ 20

13 비상방송설비의 화재안전기준(NFSC 202)에 따른 비상방송설비의 음향장치에 대한 설치기
준으로 틀린 것은?

① 다른 전기회로에 따라 유도장애가 생기지 아니하도록 할 것
② 음향장치는 자동화재속보설비의 작동과 연동하여 작동할 수 있는 것으로 할 것
③ 다른 방송설비와 공용하는 것에 있어서는 화재 시 비상경보의 방송을 차단할 수 있는
   구조로 할 것
④ 증폭기 및 조작부는 수위실 등 상시 사람이 근무하는 장소로서 점검이 편리하고 방화상
   유효한 곳에 설치할 것

14 무선통신보조설비의 화재안전기준(NFSC 505)에 따른 용어의 정의 중 감시제어반 등에 설
치된 무선중계기의 입력과 출력포트에 연결되어 송수신 신호를 원활하게 방사·수신하기
위해 옥외에 설치하는 장치를 말하는 것은?

① 혼합기
② 분파기
③ 증폭기
④ 옥외안테나

15 무선통신보조설비의 화재안전기준(NFSC 505)에 따라 무선통신보조설비의 누설동축케이블 또는 동축케이블의 임피던스는 몇 [Ω]으로 하여야 하는가?

① 5
② 10
③ 50
④ 100

16 비상경보설비 및 단독경보형감지기의 화재안전기준(NFSC 201)에 따른 단독경보형 감지기에 대한 내용이다. 다음 (   )에 들어갈 내용으로 옳은 것은?

> 이웃하는 실내의 바닥면적이 각각 (   )[m²] 미만이고 벽체의 상부의 전부 또는 일부가 개방되어 이웃하는 실내와 공기가 상호 유통되는 경우에는 이를 1개의 실로 본다.

① 30
② 50
③ 100
④ 150

17 소방시설용 비상전원수전설비의 화재안전기준(NFSC 602)에 따른 용어의 정의에서 소방부하에 전원을 공급하는 전기회로를 말하는 것은?

① 수전설비
② 일반회로
③ 소방회로
④ 변전설비

18 누전경보기의 형식승인 및 제품검사의 기술기준에 따라 누전경보기의 변류기는 직류 500[V]의 절연저항계로 절연된 1차권선과 2차권선 간의 절연저항 시험을 할 때 몇 [MΩ] 이상이어야 하는가?

① 0.1
② 5
③ 10
④ 20

19 소방시설용 비상전원수전설비의 화재안전기준(NFSC 602)에 따라 소방시설용 비상전원수전설비의 인입구배선은 옥내소화전설비의 화재안전기준(NFSC 102) 별표 1에 따른 어떤 배선으로 하여야 하는가?

① 나전선
② 내열배선
③ 내화배선
④ 차폐배선

20 유도등 및 유도표지의 화재안전기준(NFSC 303)에 따라 설치하는 유도표지는 계단에 설치하는 것을 제외하고는 각 층마다 복도 및 통로의 각 부분으로부터 하나의 유도표지까지의 보행거리가 몇 [m] 이하가 되는 곳과 구부러진 모퉁이의 벽에 설치하여야 하는가?

① 10
② 15
③ 20
④ 25

01	02	03	04	05	06	07	08	09	10	11	12	13	14	15	16	17	18	19	20
④	③	③	①	④	④	②	③	①	②	②	①	②	④	③	①	③	②	③	②

01 단독경보형 감지기의 일반기능
- 자동복귀형 스위치(자동적으로 정위치에 복귀될 수 있는 스위치를 말한다)에 의하여 수동으로 작동시험을 할 수 있는 기능이 있어야 한다(스위치에 의해 화재경보 정지 시 15분 후 정지 기능이 자동적으로 해제되어야 한다).
- 작동되는 경우 작동표시등에 의하여 화재의 발생을 표시하고, 내장된 음향장치의 명동에 의하여 화재경보음을 발할 수 있는 기능이 있어야 한다.
- 주기적으로 섬광하는 전원표시등에 의하여 전원의 정상 여부를 감시할 수 있는 기능이 있어야 하며, 전원의 정상상태를 표시하는 전원표시등의 섬광주기는 1초 이내의 점등과 30초에서 60초 이내의 소등으로 이루어져야 한다.
- 화재경보음은 감지기로부터 1[m] 떨어진 위치에서 85[dB] 이상으로 10분 이상 계속하여 경보할 수 있어야 한다.

02 비상콘센트설비의 전원회로 설치기준
- 비상콘센트설비의 전원회로는 단상교류 220[V]인 것으로서, 그 공급용량은 1.5[kVA] 이상인 것으로 할 것
- 하나의 전용회로에 설치하는 비상콘센트는 10개 이하로 할 것. 이 경우 전선의 용량은 각 비상콘센트(비상콘센트가 3개 이상인 경우에는 3개)의 공급용량을 합한 용량 이상의 것으로 하여야 한다.

설치개수	전선의 용량
1개	1.5[kVA] 이상
2개	3[kVA] 이상
3개 이상	4.5[kVA] 이상

03 자동화재속보설비 속보기의 기능

- 작동신호를 수신하거나 수동으로 동작시키는 경우 20초 이내에 소방관서에 자동적으로 신호를 발하여 통보하되, 3회 이상 속보할 수 있어야 한다.
- 주전원이 정지한 경우에는 자동적으로 예비전원으로 전환되고, 주전원이 정상상태로 복귀한 경우에는 자동적으로 예비전원에서 주전원으로 전환되어야 한다.
- 예비전원은 자동적으로 충전되어야 하며 자동 과충전방지장치가 있어야 한다.
- 화재신호를 수신하거나 속보기를 수동으로 동작시키는 경우 자동적으로 적색 화재표시등이 점등되고 음향장치로 화재를 경보하여야 하며 화재표시 및 경보는 수동으로 복구 및 정지시키지 않는한 지속되어야 한다.
- 연동 또는 수동으로 소방관서에 화재발생 음성정보를 속보 중인 경우에도 송수화장치를 이용한 통화가 우선적으로 가능하여야 한다.
- 예비전원을 병렬로 접속하는 경우에는 역충전 방지 등의 조치를 하여야 한다.
- 예비전원은 감시상태를 60분간 지속한 후 10분 이상 동작(화재속보 후 화재 표시 및 경보를 10분간 유지하는 것을 말한다)이 지속될 수 있는 용량이어야 한다.
- 속보기는 연동 또는 수동 작동에 의한 다이얼링 후 소방관서와 전화접속이 이루어지지 않는 경우에는 최초 다이얼링을 포함하여 10회 이상 반복적으로 접속을 위한 다이얼링이 이루어져야 한다. 이 경우 매 회 다이얼링 완료 후 호출은 30초 이상 지속되어야 한다.
- 속보기의 송수화장치가 정상위치가 아닌 경우에도 연동 또는 수동으로 속보가 가능하여야 한다.
- 음성으로 통보되는 속보내용을 통하여 당해 소방대상물의 위치, 화재발생 및 속보기에 의한 신고임을 확인할 수 있어야 한다.
- 속보기는 음성속보방식 외에 데이터 또는 코드전송방식 등을 이용한 속보기능을 부가로 설치할 수 있다.

04 감지기의 설치제외 장소(NFSC 203)

- 천장 또는 반자의 높이가 20[m] 이상인 장소
- 헛간 등 외부와 기류가 통하는 장소로서 감지기에 의하여 화재발생을 유효하게 감지할 수 없는 장소
- 부식성 가스가 체류하는 장소
- 고온도 및 저온도로서 감지기의 기능이 정지되기 쉽거나 감지기의 유지관리가 어려운 장소
- 목욕실·욕조나 샤워시설이 있는 화장실, 기타 이와 유사한 장소
- 파이프덕트 등 그 밖에 이와 비슷한 것으로서 2개층마다 방화구획된 것이나 수평단 면적이 5[m²] 이하인 것
- 먼지·가루 또는 수증기가 다량으로 체류하는 장소 또는 주방 등 평상시에 연기가 발생하는 장소(단, 연기감지기만 적용)
- 프레스공장·주조공장 등 화재발생의 위험이 적은 장소로서 감지기의 유지관리가 어려운 장소

05 비상콘센트 설비의 전원회로 규격

구 분	전 압	공급용량	플러그접속기
단상교류	220[V]	1.5[kVA] 이상	접지형 2극

06 연기감지기의 부착높이에 따른 감지기의 바닥면적

(단위 : [m²])

부착높이	감지기의 종류	
	1종 및 2종	3종
4[m] 미만	150	50
4[m] 이상 20[m] 미만	75	-

- 천장 또는 반자가 낮은 실내 또는 좁은 실내에 있어서는 출입구의 가까운 부분에 설치할 것
- 천장 또는 반자부근에 배기구가 있는 경우에는 그 부근에 설치할 것
- 감지기는 벽 또는 보로부터 0.6[m] 이상 떨어진 곳에 설치할 것

07 송배전방식 : 도통시험 용이
- 원리 : 도통시험을 용이하게 하기 위하여 배선의 중간에서 분기하지 않는 방식
- 적용 : 자동화재탐지설비, 제연설비
- 설치도

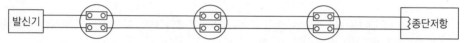

08 비상방송설비의 음향장치 설치기준
층수가 5층 이상으로서 연면적이 3,000[m²]를 초과하는 특정소방대상물은 다음에 따라 경보를 발할 수 있도록 하여야 한다.
- 2층 이상의 층에서 발화한 때에는 발화층 및 그 직상층에 경보를 발할 것
- 1층에서 발화한 때에는 발화층·그 직상층 및 지하층에 경보를 발할 것
- 지하층에서 발화한 때에는 발화층·그 직상층 및 기타의 지하층에 경보를 발할 것

09 용어 정의
- 표시면 : 유도등에 있어서 피난구나 피난방향을 안내하기 위한 문자 또는 부호 등이 표시된 면
- 조사면 : 유도등에 있어서 표시면 외 조명에 사용되는 면

10 부착높이에 따른 감지기 종류

부착높이	감지기의 종류
20[m] 이상	• 불꽃감지기 • 광전식(분리형, 공기흡입형) 중 아날로그방식

비고 : 1. 감지기별 부착높이 등에 대하여 별도로 형식승인을 받은 경우에는 그 성능 인정범위 내에서 사용할 수 있다.
　　　 2. 부착높이 20[m] 이상에 설치되는 광전식 중 아날로그방식의 감지기는 공칭감지농도 하한값이 감광률 [5%/m] 미만인 것으로 한다.

11 비상조명등의 형식승인 및 제품검사의 기술기준
- 일반구조
  - 상용전원전압의 110[%] 범위 안에서는 비상조명등 내부의 온도상승이 그 기능에 지장을 주거나 위해를 발생시킬 염려가 없어야 할 것
  - 사용전압은 300[V] 이하이어야 한다. 다만, 충전부가 노출되지 아니한 것은 300[V]를 초과할 수 있다.
  - 전선의 굵기가 인출선인 경우에는 단면적이 0.75[mm2] 이상, 인출선 외의 경우에는 단면적이 0.5[mm^2] 이상일 것
  - 인출선의 길이는 전선인출 부분으로부터 150[mm] 이상일 것
  - 유효점등시간은 20분 이상으로 하며 20분 단위로 제조사가 설정
- 절연저항시험
  비상조명등의 교류입력 측과 외함 사이, 절연된 교류입력 측과 충전부 사이 및 절연된 충전부의 외함 사이의 각각 절연저항은 직류 500[V]의 절연저항계로 측정한 값이 5[MΩ] 이상이어야 한다.

12 변류기시험
변류기는 1개의 전선을 변류기에 부착시킨 회로를 설치하고 출력단자에 부하저항을 접속시킨 상태에서 정격전압의 20[%]에 해당하는 전류 인가 시 5분간 보낸 후 그 기능과 구조에 이상이 없어야 한다.

13 비상방송설비의 음향장치 설치기준
- 확성기(스피커)의 음성입력은 3[W](실내에 설치하는 것에 있어서는 1[W]) 이상일 것
- 확성기는 각 층마다 설치하되, 그 층의 각 부분으로부터 하나의 확성기까지의 수평거리가 25[m] 이하가 되도록 하고, 해당 층의 각 부분에 유효하게 경보를 발할 수 있도록 설치할 것
- 음량조정기(가변저항을 이용하여 전류를 변화시켜 음량을 조절)를 설치하는 경우 음량조정기의 배선은 3선식으로 할 것
- 조작부의 조작스위치는 바닥으로부터 0.8[m] 이상 1.5[m] 이하의 높이에 설치할 것
- 다른 방송설비와 공용하는 것에 있어서는 화재 시 비상경보 외의 방송을 차단할 수 있는 구조로 할 것
- 다른 전기회로에 따라 유도장애가 생기지 아니하도록 할 것
- 하나의 특정소방대상물에 2 이상의 조작부가 설치되어 있는 때에는 각각의 조작부가 있는 장소 상호 간에 동시 통화가 가능한 설비를 설치하고, 어느 조작부에서도 해당 특정소방대상물의 전 구역에 방송을 할 수 있도록 할 것
- 기동장치에 따른 화재신고를 수신한 후 필요한 음량으로 화재발생 상황 및 피난에 유효한 방송이 자동으로 개시될 때까지의 소요시간은 10초 이하로 할 것
- 증폭기(전압ㆍ전류 진폭을 늘려 감도를 좋게, 크게 하는 장치) 및 조작부는 수위실 등 상시 사람이 근무하는 장소로서 점검이 편리하고 방화상 유효한 곳에 설치할 것
- 층수가 5층 이상으로서 연면적이 3,000[m2]를 초과하는 특정소방대상물은 다음에 따라 경보를 발할 수 있도록 하여야 한다.
  - 2층 이상의 층에서 발화한 때에는 발화층 및 그 직상층에 경보를 발할 것
  - 1층에서 발화한 때에는 발화층ㆍ그 직상층 및 지하층에 경보를 발할 것
  - 지하층에서 발화한 때에는 발화층ㆍ그 직상층 및 기타의 지하층에 경보를 발할 것

14 무선통신보조설비의 용어 정의

- 혼합기 : 두 개 이상의 입력신호를 원하는 비율로 조합한 출력이 발생하도록 하는 장치를 말한다.
- 분파기 : 서로 다른 주파수의 합성된 신호를 분리하기 위해서 사용하는 장치를 말한다.
- 증폭기 : 신호 전송 시 신호가 약해져 수신이 불가능해지는 것을 방지하기 위해서 증폭하는 장치를 말한다.
- 옥외안테나 : 감시제어반 등에 설치된 무선중계기의 입력, 출력 포트에 연결되어 송수신 신호를 원활하게 방사·수신하기 위한 설비

15 무선통신보조설비의 누설동축케이블 등 설치기준

- 소방전용 주파수대에서 전파의 전송 또는 복사에 적합한 것으로 소방전용의 것으로 할 것(단, 소방대 상호 간의 무선연락에 지장이 없는 경우에는 다른 용도와 겸용할 수 있다)
- 누설동축케이블과 이에 접속하는 안테나 또는 동축케이블과 이에 접속하는 안테나에 따른 것으로 할 것
- 누설동축케이블 및 동축케이블은 불연 또는 난연성의 것으로서 습기에 따라 전기의 특성이 변질되지 아니하는 것으로 하고 노출하여 설치한 경우에는 피난 및 통행에 장애가 없도록 할 것
- 누설동축케이블 및 동축케이블은 화재에 따라 해당 케이블의 피복이 소실된 경우에 케이블 본체가 떨어지지 아니하도록 4[m] 이내마다 금속제 또는 자기제 등의 지지금구로 벽·천장·기둥 등에 견고하게 고정시킬 것. 다만, 불연재료로 구획된 반자 안에 설치하는 경우에는 그러하지 아니하다.
- 누설동축케이블 및 안테나는 금속판 등에 따라 전파의 복사 또는 특성이 현저하게 저하되지 아니하는 위치에 설치할 것
- 누설동축케이블 및 안테나는 고압의 전로로부터 1.5[m] 이상 떨어진 위치에 설치할 것(해당 전로에 정전기 차폐장치를 유효하게 설치한 경우에는 제외)
- 누설동축케이블의 끝부분에는 무반사 종단저항을 견고하게 설치할 것

종단저항	무반사 종단저항
감지기회로의 도통시험을 용이하게 하기 위하여 감지기회로의 끝부분에 설치하는 저항	전송로로 전송되는 전자파가 전송로의 종단에서 반사되어 교신을 방해하는 것을 막기 위해 누설동축케이블의 끝부분에 설치하는 저항

- 누설동축케이블 또는 동축케이블의 임피던스는 50[Ω]으로 하고, 이에 접속하는 안테나·분배기 기타의 장치는 해당 임피던스에 적합한 것으로 하여야 한다.

16 단독경보형감지기의 설치기준

- 각 실(이웃하는 실내의 바닥면적이 각각 30[m²] 미만이고 벽체의 상부의 전부 또는 일부가 개방되어 이웃하는 실내와 공기가 상호 유통되는 경우에는 이를 1개의 실로 본다)마다 설치하되, 바닥면적이 150[m²]를 초과하는 경우에는 150[m²]마다 1개 이상 설치할 것
- 최상층의 계단실의 천장(외기가 상통하는 계단실의 경우를 제외)에 설치할 것
- 건전지를 주전원으로 사용하는 단독경보형 감지기는 정상적인 작동 상태를 유지할 수 있도록 건전지를 교환할 것

17　소방시설용 비상전원수전설비 용어 정의
- 수전설비 : 전력수급용 계기용변성기·주차단장치 및 그 부속기기
- 일반회로 : 소방회로 이외의 전기회로
- 소방회로 : 소방부하에 전원을 공급하는 전기회로
- 변전설비 : 전력용변압기 및 그 부속기기

18　변류기 절연저항시험
DC 500[V]의 절연저항계로 시험을 하는 경우 5[MΩ] 이상
- 절연된 1차권선과 2차권선 간의 절연저항
- 절연된 1차권선과 외부금속부 간의 절연저항
- 절연된 2차권선과 외부금속부 간의 절연저항

19　전원회로의 배선은 옥내소화전설비의 화재안전기준에 따른 내화배선에 따르고, 그 밖의 배선(감지기 상호 간 또는 감지기로부터 수신기에 이르는 감지기회로의 배선을 제외한다)은 옥내소화전설비의 화재안전기준에 따른 내화배선 또는 내열배선에 따라 설치할 것

20　유도표지 설치기준
- 계단에 설치하는 것을 제외하고는 각 층마다 복도 및 통로의 각 부분으로부터 하나의 유도표지까지의 보행거리가 15[m] 이하가 되는 곳과 구부러진 모퉁이의 벽에 설치할 것
- 피난유도표지는 출입구 상단에 설치하고, 통로유도표지는 바닥으로부터 높이 1[m] 이하의 위치에 설치할 것
- 주위에는 이와 유사한 등화·광고물·게시물 등을 설치하지 아니할 것
- 유도표지는 부착판 등을 사용하여 쉽게 떨어지지 아니하도록 설치할 것
- 축광방식의 유도표지는 외광 또는 조명장치에 의하여 상시 조명이 제공되거나 비상조명등에 의한 조명이 제공되도록 설치할 것

좋은 책을 만드는 길
독자님과 함께하겠습니다.

도서나 동영상에 궁금한 점, 아쉬운 점, 만족스러운 점이
있으시다면 어떤 의견이라도 말씀해 주세요.
시대고시기획은 독자님의 의견을 모아 더 좋은 책으로 보답하겠습니다.

www.sidaegosi.com

소방설비기사 필기 소방전기시설의 구조 및 원리

초 판 발 행	2022년 03월 10일 (인쇄 2022년 01월 06일)
발 행 인	박영일
책 임 편 집	이해욱
편 저	류승헌
편 집 진 행	윤진영 · 김경숙
표 지 디 자 인	권은경 · 길전홍선
편 집 디 자 인	심혜림 · 조준영
발 행 처	(주)시대고시기획
출 판 등 록	제10-1521호
주 소	서울시 마포구 큰우물로 75 [도화동 538 성지 B/D] 9F
전 화	1600-3600
팩 스	02-701-8823
홈 페 이 지	www.sidaegosi.com
I S B N	979-11-383-1624-8 (14500)
정 가	16,000원
